Les premiers mots de la foi

DU MÊME AUTEUR

Thèmes bibliques, coll. Théologie, Paris, Aubier, 1951, ²1962.

Jésus Christ hier et aujourd'hui, coll. Christus, Paris, Desclée de Brouwer, 1963, ³1975.

Jésus devant sa vie et sa mort, coll. Intelligence de la foi, Paris, Aubier, 1971, ³1976.

Jésus Christ dans notre monde, coll. Christus, Paris, Desclée de Brouwer, 1974.

Jacques Guillet, né en 1910, prêtre de la Compagnie de Jésus en 1945, professeur d'Écriture Sainte depuis 1951 à la Faculté de Théologie de Lyon-Fourvière dont il est Préfet des Études et Doyen (1953-1965), enseigne actuellement au Centre Sèvres de la Compagnie de Jésus à Paris et collabore à plusieurs publications théologiques dont *Recherches de Science religieuse, Christus, Communio.*

Jacques Guillet

Les premiers mots de la foi
De Jésus à l'Église

« *Croire et comprendre* »
Le Centurion

IMPRIMI POTEST : Paris, le 27 novembre 1976, André Costes, sup. prov. s. j.

IMPRIMATUR : Paris, le 8 janvier 1977, E. Berrar, v. é.

ISBN 2.227.30128.7
© Éditions du Centurion, 1977

Introduction

De Jésus à l'Église

« Jésus attendait que vienne le Royaume, et c'est l'Église qui est venue »[1] : la formule d'Alfred Loisy, après soixante-quinze ans, garde son impact. Si discutable qu'elle soit, si ébranlée par tant de travaux publiés depuis 1902, elle porte encore, à la fois parce qu'elle soulève un problème réel, même si elle le résout mal, et parce que les hommes d'aujourd'hui, spontanément défiants face aux pouvoirs, se retrouvent volontiers dans toutes les tentatives qui tendent à souligner la distance qui sépare le personnage Jésus et sa force de séduction, de l'Église et de ses institutions.

De ce sujet immense et capital, le livre qui s'ouvre ici ne prétend aborder qu'un seul aspect, celui de la parole, des formules où l'Église dit sa foi. Pour prendre une vue d'ensemble de la question, il faudrait voir comment, recueillant les gestes de Jésus, les communautés chrétiennes des origines ont donné forme aux sacrements, comment aussi les disciples de Jésus, reprenant et transmettant le message qu'ils avaient reçu de lui, ont créé et développé ce qui est devenu le style propre et la conduite des premiers chrétiens. En un mot, il faudrait voir naître l'Église.

1. A. Loisy, *L'Évangile et l'Église*, Paris, Picard, 1902, p. 111.

D'un programme aussi vaste, d'un rêve téméraire, mais auquel un chrétien ne saurait totalement renoncer, on n'abordera ici que la partie la plus facile, celle où les documents sont les plus nombreux et les plus explicites : la naissance et l'élaboration des formules diverses où s'est d'abord exprimée la foi de l'Église primitive en Jésus Christ. Un champ d'observation réduit doit permettre des résultats plus précis. Et, si l'on parvient à replacer les mots et les formules dans leur milieu d'origine et les situations qu'elles supposent, peut-être aura-t-on la chance, au-delà des textes et des paroles, de saisir la présence de la communauté et l'expérience vécue de la foi.

LES DIFFICULTÉS

Les difficultés les plus visibles viennent de nos sources d'information. Apparemment, ces difficultés ne semblent pas insurmontables. Les sources sont à la fois nombreuses et groupées, diverses et cependant convergentes. Partout dans le Nouveau Testament, dans des écrits aussi différents que les évangiles, l'*Apocalypse* ou les lettres de saint Paul, apparaissent des expressions de genre varié, qui témoignent d'une foi commune en Jésus, Messie d'Israël et Fils de Dieu. Annonces de la foi chrétienne dans les discours de Pierre ou de Paul figurant aux *Actes des Apôtres*, hymnes au Christ des épîtres pauliniennes, rappels de Paul aux chrétiens de Corinthe ou de Galatie, formulant l'Évangile qu'il leur a annoncé, déclarations de Jésus dans le quatrième évangile, acclamations célestes de l'*Apocalypse*, ne perçoit-on pas, dans des contextes très éloignés les uns des autres, l'air de famille des différents langages et la cohérence d'une foi commune ? Et cette unité, qui donne au Nouveau Testament sa physionomie originale, n'est-elle pas la manifestation la plus impressionnante de ce qu'est l'Église ? Car le Nouveau Testament est l'œuvre de l'Église, son œuvre la plus achevée, oserait-on dire, celle où elle révèle, sans honte et sans vaine fierté, ses problèmes et ses réussites, ses conflits et sa solidité, ses peurs et sa foi. Or le lien qui fait l'unité de tous ces écrits est partout visible : c'est la foi en Jésus Christ.

Ces faits sont indiscutables. Mais ils comportent un revers, qui met en alerte les historiens, et qui soulève, chez les chrétiens les plus attachés à l'Église, une sourde inquiétude et parfois une réelle angoisse. Cette unité du Nouveau Testament, cette parenté entre des écrits d'origine et de date diverses, jusqu'à quel point est-elle absolument naturelle et primitive ? N'est-elle pas le résultat d'une harmonisation superficielle, d'un vernis étalé pour masquer les aspérités et les originalités, d'une orthodoxie imposée ? La signature d'une Église décidée à faire valoir son autorité ?

Pour dissiper le soupçon, pour faire apparaître l'unité organique et originelle de la foi, il faut donc étudier isolément ses diverses expressions, les expliquer chacune par son origine et son horizon propre, relever les influences et les passages possibles des unes aux autres. Alors seulement on pourra voir si la cohérence de l'ensemble vient du dedans ou du dehors, d'un moule imposé ou d'un mouvement naturel.

Ce travail serait simple si les textes se classaient d'eux-mêmes, si l'on pouvait immédiatement les répartir selon leur auteur et ses différents écrits. On pourrait ainsi décrire la foi du Nouveau Testament en suivant les différentes œuvres et en les mettant chacune à sa place. Ce qui rend l'étude compliquée et souvent hypothétique, c'est qu'il faut toujours faire la part, dans ces écrits, de la foi commune et traditionnelle, et de l'élaboration personnelle : saint Paul est à la fois un génie exceptionnel et un croyant confondu parmi les autres. De plus, entre la tradition anonyme et les créations personnelles, il est très difficile de préciser les relations chronologiques. Un écrit récent peut maintenir délibérément un langage ancien en le mettant au service d'une théologie nouvelle. Tout cela fait que l'ensemble du Nouveau Testament, pour qui veut l'étudier de près, donne l'impression d'un sol bouleversé, d'une formation géologique tourmentée et d'explication malaisée.

Derrière ces obstacles qu'on peut appeler naturels, parce qu'on les retrouve dans toute littérature religieuse, partout où un auteur cherche à dire, sur une foi commune, un message nouveau, se profile l'obstacle majeur et unique en son genre. Il tient à la nature même du Nouveau Testament et de l'expérience chrétienne. Celle-ci peut se définir d'un mot, croire en Jésus Christ, et cette foi s'exprime dans des formules diverses mais qui toutes présentent un trait commun : elles parlent de Jésus ou elles lui parlent. Or ces formules supposent toutes que Jésus est à la fois inaccessible et cependant vivant, c'est-à-dire qu'elles sont toutes postérieures à l'événement de Pâques. Et pourtant, elles prétendent bien atteindre le personnage d'avant Pâques, le prophète venu de Nazareth. Mais ce transfert est-il légitime ? L'expérience de la résurrection ne fausse-t-elle pas toutes les données ? Jésus ressuscité n'est-il pas tout différent de ce qu'était Jésus de Nazareth ? Ce qui vaut de l'un ne vaut pas forcément de l'autre, et l'expérience nouvelle, en abolissant les différences, modifie profondément l'expérience d'autrefois.

Le Nouveau Testament est certainement conscient de cette distance. Il distingue tout naturellement ce que Jésus a dit et fait, et qui se trouve rassemblé dans les évangiles, et ce que ses disciples après lui ont dit de lui et fait en son nom, et qui constitue les écrits apostoliques. Tout serait clair, apparemment, si les deux blocs demeuraient isolés, si l'on pouvait d'abord entendre et regarder Jésus dans son activité terrestre, puis tourner la page de la résurrection, et voir l'Église, appuyée sur des souvenirs précis, les éclairer de son expérience nouvelle. Alors les deux moments seraient nettement distingués, et le passage de l'un à l'autre, susceptible d'être expliqué.

Au lieu de quoi l'on découvre entre les deux blocs des relations surprenantes. D'abord le fait paradoxal que le bloc

évangiles, destiné à recueillir les souvenirs, est largement
postérieur à la grande majorité des écrits apostoliques. D'où
l'on est porté à conclure que l'Église a longtemps vécu fas-
cinée par le Ressuscité, avant de revenir à son existence
humaine, et qu'il était bien tard pour en fixer le souvenir
authentique. Autre constatation étonnante : la distance entre
la façon dont Jésus parlait de lui et de son œuvre, et le langage
de l'Église pour parler de lui et de cette œuvre. Les formules
de la foi donnent à Jésus des noms et des titres auxquels lui-
même ne paraît pas avoir songé ; elles lui attribuent des modes
d'action et un rôle dans le monde dont il ne parlait pas à ses
disciples, par exemple sa préexistence ou le sens de sa mort
dans l'histoire de l'humanité. Comment affirmer dans la foi
que Jésus est le Fils de Dieu s'il ne l'a pas dit lui-même sans
équivoque et dans un sens absolument clair ? Et si l'on n'est
pas assuré qu'il ait parlé de racheter les péchés du monde,
comment expliquer que les premiers chrétiens le croient si
ingénument ?

Telle est la difficulté essentielle de notre étude. Elle est la
transposition, dans le domaine de la parole et de l'expression,
de ce qu'est, pour l'expérience humaine, la présence du
Ressuscité. Elle ne trouve de solution cohérente que dans la
foi, mais la foi fait comprendre et donne un sens à l'inexpliqué.
C'est pourquoi il nous paraît possible d'entreprendre une
étude des formules les plus anciennes de la foi chrétienne, et
peut-être de rendre compte à la fois des paradoxes qu'elles
contiennent, et de ceux qu'elles supposent. Au paradoxe du
Christ passé de la condition divine à celle de l'homme, puis
de celle-ci à la gloire du Père, répond le paradoxe d'une
parole dite au milieu des hommes et déjà porteuse d'un sens,
mais susceptible, avec la résurrection et l'expérience de
l'Esprit, d'une transformation qui, sans l'altérer ou la défi-
gurer, lui donne un sens nouveau et définitif.

MÉTHODES

Les textes à utiliser commandent le choix des méthodes. S'il s'agissait de compositions formant un tout et exprimant un mouvement unique, ce serait le lieu de leur appliquer les analyses de structure, faites précisément pour mettre en lumière l'architecture invisible d'un récit, d'un chant ou d'un discours, le chemin qu'un auteur peut faire parcourir à son lecteur ou à son auditeur. Mais les textes auxquels nous aurons affaire sont le plus souvent des morceaux très brefs, des citations plus ou moins conscientes, des formules empruntées à un contexte antérieur pour être, soit répétées telles quelles, soit élargies et transformées. Et même les morceaux plus développés, tel le récit eucharistique ou le discours des *Actes,* valent surtout par leur forme, leur structure visible et immédiatement apparente. C'est pourquoi la méthode privilégiée est ici celle des formes et de leur histoire, la *Formgeschichte* des auteurs allemands.

Car il s'agit ici de croire et de dire ce qu'on croit, de donner à ce qu'on croit la forme capable de se faire entendre. Annonce ou louange, transmission ou confession, il s'agit toujours de ramasser en quelques formules denses, faites pour être reprises et répétées, un événement et un personnage, Jésus et son action. L'intérêt de l'étude des formes est justement de toujours rattacher la forme à son milieu d'origine et à son public, au personnage qui parle et à ceux qu'il interpelle. Nulle part cette recherche n'est mieux à sa place qu'ici, où il s'agit, à travers les formules et les énoncés, de ressaisir l'expérience vécue par une communauté, de l'entendre parler et de la voir vivre.

Puisque le langage a dans l'expression de la foi une pareille importance, il faut tenir compte d'une donnée fondamentale du Nouveau Testament et de son histoire : le passage de l'araméen au grec, de Jérusalem à Antioche et à Corinthe. Jésus et ses disciples parlaient la langue courante des Juifs de Palestine, l'araméen. La première communauté de Jérusalem se rassemble autour des Douze et parle également l'araméen. Mais de bonne heure adhèrent à la foi des « Hellénistes » (Ac 6 1), c'est-à-dire des Juifs venus de la Diaspora, dont la langue habituelle est le grec. Très vite, les Hellénistes convertis vont, à l'exemple d'Étienne, prendre leurs distances à l'égard des pratiques juives, et, à l'exemple de Philippe, aborder le monde païen (Ac 6 — 8). Ce sont eux sans doute qui, avant même l'arrivée de Paul, ont donné naissance à la communauté chrétienne d'Antioche, destinée à un grand avenir dans l'Église.

De l'araméen, langue sémitique, au grec, le passage n'est pas immédiat, et les traductions souvent heurtées. C'est pourquoi il est souvent visible qu'une formule du Nouveau Testament est la traduction d'un original sémitique. Quand il s'agit de formules de foi, cet indice est précieux : c'est le signe que la formule primitive remonte à une communauté de langue araméenne. Sur cette base, il est possible de distinguer, dans la formation du Nouveau Testament, plusieurs niveaux superposés. La répartition la plus simple, celle sur laquelle s'accordent des exégètes aussi différents que R. Bultmann et J. Jeremias, distingue une couche araméenne, provenant des communautés de Palestine, et d'abord de Jérusalem —, une couche hellénistique due aux communautés de langue grecque établies en Palestine et surtout en Syrie —, enfin le christianisme paulinien, marqué par l'influence de Paul. Ces couches ne sont pas simplement successives. Le « judéochristianisme palestinien » a coexisté longtemps avec le christianisme hellénisé prépaulinien ou paulinien. Mais l'ordre d'apparition demeure significatif; une confession de foi ou un fragment d'hymne utilisés par Paul mais dont l'origine est sémitique, remonte normalement au christianisme palestinien, soit par une transmission directe, datant de l'époque ancienne et brève où Paul était en contact avec les communautés de Palestine, soit par l'intermédiaire des communautés hellénistes.

Par-delà les différences de langue, il est tentant de chercher à identifier des physionomies différentes, et de caractériser plusieurs types de christianisme dans l'Église naissante. Avec son intrépidité systématique, Bultmann oppose à la tendance

« traditionaliste » et biblique du judéo-christianisme palestinien, préoccupé de transmettre la parole et le message de Jésus, la dominante « révélatrice » et sacramentaire du christianisme hellénistique, qui aboutit à la formation du « mythe » christologique, fait pour opposer aux mythes païens et gnostiques du Sauveur venu d'en haut rendre à l'humanité déchue la connaissance de sa vraie nature, la figure du Fils de Dieu venu donner sa vie pour les péchés du monde. Les évangiles, auxquels Marc a le premier donné leur aspect définitif, seraient le point de rencontre de la tradition palestinienne des paroles du Seigneur *(Logia)* et du courant hellénistique présentant l'histoire de Jésus sous la forme d'une révélation divine.

Pareilles perspectives sont à la fois stimulantes et périlleuses. Elles sont loin de faire l'unanimité des historiens. Beaucoup ne les adoptent qu'avec de fortes réserves et bien des corrections. On ne cherchera ici ni à les exploiter systématiquement, ni à les critiquer, mais seulement à donner une idée de la complexité des questions, et à nuancer des affirmations trop simples.

CLASSEMENT DES TEXTES

Pour faire apparaître la genèse des formules de foi, la solution idéale serait de disposer les textes selon la chronologie, et de mettre en lumière le mouvement qui les suscite et les porte. Cette solution est illusoire. Beaucoup de textes sont trop fragmentaires pour qu'il soit possible de les situer le long d'une chaîne. Et il n'est pas du tout certain que cette chaîne ait jamais existé. Il y a toutes chances au contraire pour que des formules proches aient apparu simultanément en des points différents, pour que certaines se soient répandues tandis que d'autres s'éteignaient. N'oublions pas enfin le caractère partiel et dispersé de notre documentation. Il serait téméraire de prétendre tracer l'histoire des premières expressions de la foi. Tout ce qu'on peut essayer, c'est de les situer dans un ensemble, de les éclairer les unes par les autres, de dessiner les traits essentiels de la foi chrétienne, en ces années proches encore de sa naissance.

A strictement parler, il n'existe que deux séries d'expressions rigoureusement distinctes pour formuler la foi : l'annonce qui proclame l'événement Jésus, et la confession qui adhère à l'annonce : la parole lancée et la parole reçue. Toutefois, à l'intérieur de ces deux grandes catégories, on peut préciser les distinctions. Dans l'annonce, on isole assez naturellement trois types caractérisés : la relation de l'événement sous le mode du récit, la proclamation dans le discours, la réflexion sur l'événement et le personnage de Jésus, où se développe une théologie. Dans la confession de foi, les distinctions sont moins rigoureuses et les genres se mêlent. On perçoit néanmoins la différence entre la confession proclamée devant les hommes, et l'action de grâces tournée d'abord vers Dieu. Sur ces bases, on présentera, dans quatre chapitres successifs :

1. Le récit : relation de l'événement à partir de Jésus.
2. Le discours : annonce aux hommes de l'événement Jésus.
3. La théologie : réflexion sur la personne de Jésus.
4. La confession de foi en Jésus.

On s'étonnera sans doute que les évangiles soient absents de cette étude. Ils auraient plusieurs titres à y figurer : ce sont des récits de l'événement Jésus, écrits pour l'annoncer aux hommes, construits autour d'une réflexion et d'une confession théologique sur la personne de Jésus. Si nous les avons délibérément laissés de côté, ce n'est pas tant à cause de leur date récente, car les *Actes des Apôtres* sont tardifs eux aussi, c'est à cause de leur genre propre. Il est beaucoup plus difficile, dans les compositions évangéliques, de faire le départ entre les données qui viennent directement de Jésus, les apports des communautés diverses et de leurs traditions, et l'apport de l'évangéliste lui-même, avec son langage et son point de vue. En nous bornant aux discours des *Actes* et aux lettres de Paul, il est plus facile, sur un domaine plus restreint, de faire apparaître les données de base de la tradition commune et de distinguer les perspectives propres aux différents auteurs et aux différents types de textes.

I

Le récit
de l'événement Jésus

Par deux fois, dans la lettre où Paul rappelle aux chrétiens de Corinthe les données fondamentales de leur foi, il leur cite, on dirait presque il leur récite, deux formules visiblement faites pour être entendues et répétées. L'une rappelle le dernier repas de Jésus, l'autre, sa résurrection. Toutes deux sont introduites de la même façon, comme si les formules ne prenaient tout leur poids que par cette introduction :

I   *Voici ce que j'ai* reçu *du Seigneur,*
    et ce que je vous ai transmis :
    le Seigneur Jésus, dans la nuit où il fut livré, prit du pain,
    et après avoir rendu grâce, il le rompit et dit :
    « Ceci est mon corps qui est pour vous,
    faites cela en mémoire de moi. »
    Il fit de même pour la coupe après le repas, en disant :
    « Cette coupe est la nouvelle Alliance en mon sang ;
    faites cela toutes les fois que vous en boirez,
    en mémoire de moi. »
                                        1 Co 11, 23 *b*-25.

II *Je vous ai* transmis *en premier lieu*
    ce que j'avais reçu *moi-même :*
    Christ est mort pour nos péchés, selon les Écritures.
    Il a été enseveli.
    Il est ressuscité le troisième jour, selon les Écritures.
    Il est apparu à Céphas, puis aux Douze.
                                        1 Co 15, 3-5.

Les deux introductions sont parallèles : elles disent l'origine des formules citées, il s'agit d'une tradition au sens propre du mot, d'une transmission qui doit être littérale, parce que tous les détails indiqués ont leur importance. Les mots qui désignent cette transmission, *transmettre* et *recevoir*, appartiennent du reste au vocabulaire technique des rabbins juifs pour désigner la façon dont un maître communique à ses disciples un enseignement à garder et à transmettre. Le style des formules confirme cette donnée : elles comportent un rythme, très fort dans la seconde mais sensible dans la première, des constructions parallèles faites pour se graver dans la mémoire. Elles sont destinées autant à être prononcées par un « maître » qui les transmet que par un auditeur qui les répète et les reçoit. Elles n'appartiennent ni à l'un ni à l'autre, mais à la communauté où ils se retrouvent l'un et l'autre.

Cette conclusion se trouve confirmée par l'étude qui a été faite de la langue de ces deux traditions[1]. Elle montre que l'une et l'autre remontent à une forme primitive sémitique, et sont des traductions grecques, d'ailleurs pour l'essentiel antérieures à Paul. Il s'agit donc de traditions anciennes, provenant du milieu chrétien primitif, celui de Palestine. Toutefois, il y a une différence entre les deux textes. Dans la formule sur la résurrection, l'original sémitique affleure presque à nu, ce qui semble indiquer que Paul reproduit la formule, telle à peu près qu'elle était répétée dans les communautés judéo-chrétiennes de Palestine. Au contraire, la tradition sur l'Eucharistie, sémitique à la base, existait en grec avant que Paul ne la reçoive, car elle comporte un grand nombre de tournures grecques étrangères au style de Paul. Ce n'est donc pas lui qui l'a créée, mais il l'a reçue d'un milieu où l'on parlait grec. Cela ne signifie pas forcément que la tradition eucharistique dans l'Église soit plus récente que la tradition sur la résurrection. Cela prouve seulement que Paul, lorsqu'il annonce le message de la résurrection, le

---

1. J. Jeremias, *La dernière Cène. Les paroles de Jésus* (Lectio divina, 75), Cerf, 1972, pp. 113-116; X. Léon-Dufour, *Résurrection de Jésus et mystère pascal* (Parole de Dieu, 7), Seuil, 1971, pp. 29-37; B. Rigaux, *Dieu l'a ressuscité*, Gembloux, 1973, pp. 119-132.

transmet sensiblement tel qu'il l'a reçu du christianisme palestinien, tandis que, répétant les paroles eucharistiques, il reprend un texte qui circulait en grec avant lui, et qui reproduit sans doute une tradition cultuelle des communautés hellénistiques de Palestine et de Syrie. Le plus probable est que Paul reproduit la formulation des paroles eucharistiques en usage dans la communauté d'Antioche, où il passa plusieurs années, avant ses premières expéditions missionnaires en Asie Mineure. Et il est en effet naturel que Paul cite aux Corinthiens la version qui leur est familière, et qu'il leur a lui-même apportée d'Antioche, où il la pratiquait.

Pour remonter plus haut, nous ne pouvons que recourir aux hypothèses les plus probables. Il est vraisemblable que Paul, avant cette version hellénistique, a connu une tradition palestinienne, qu'il aurait reçue au moment de sa conversion, en même temps que la tradition sur la résurrection, mais il nous est impossible de le prouver, impossible aussi de reconstituer l'original sémitique à partir du texte paulinien.

Faisant ainsi leur part aux hypothèses, et sans chercher à la réduire, il reste néanmoins plusieurs données certaines de première importance. La lettre aux Corinthiens qui cite ces formules date au plus tard de 56, et peut-être de 54. Les formules elles-mêmes sont bien antérieures à la lettre. Elles ont été reçues des Corinthiens à l'époque où Paul y fondait la communauté chrétienne, soit entre 49 et 51. Et puisqu'elles ont été reçues par Paul lui-même, elles remontent au temps où celui-ci recevait la foi chrétienne, et si difficile qu'il soit de préciser la date de la conversion de Paul, ce temps est certainement achevé autour de l'année 40. De cette date à Jésus, il y a au maximum dix années d'intervalle.

Toutefois, en ce domaine, la chronologie ne peut suffire à résoudre les problèmes. L'intervalle ne fût-il que de quelques mois, la question subsisterait entière : comment sont nées ces formules ? Qui les a créées, et pourquoi ? On ne peut tenter de réponse qu'en les examinant d'abord pour elles-mêmes.

STRUCTURE DE I Co 15, 3-5

Le trait le plus frappant de la tradition sur la résurrection est la régularité du rythme. Pour mieux le faire sentir, rien ne vaut la traduction littérale :

> *... je vous ai transmis :*
> *que Christ mourut pour nos péchés selon les Écritures,*
> *et qu'il fut enseveli ;*
> *et qu'il est ressuscité le troisième jour selon les Écritures,*
> *et qu'il apparut à Céphas, puis aux Douze.*

Quatre verbes, groupés deux à deux. Le premier (mourut) et le troisième (est ressuscité), développés par la même indication « selon les Écritures », signe que sur eux porte l'insistance. Le deuxième (fut enseveli) et le quatrième (apparut) jouent un rôle de vérification. De même que la mort est confirmée par la sépulture, la résurrection est prouvée par les apparitions. On ne peut supprimer la mention « il apparut » qu'à condition de supprimer aussi la sépulture. La séquence mise en route avec la mort ne s'achève qu'avec les apparitions.

Dans cette séquence, tous les moments ne se tiennent pas de la même façon. Bien qu'ils se répondent et portent tous deux la charge essentielle, *il mourut* et *il est ressuscité* ne sont pas réellement parallèles. Le verbe de la résurrection est au parfait grec, et vise un état actuel, tandis que les trois autres verbes, à l'aoriste, visent un moment du passé. La différence n'est pas seulement dans le temps, elle est de nature. D'un côté, la mort, la sépulture et les apparitions, des événements insérés dans l'histoire humaine, et dont des hommes ont été les témoins. De l'autre, quelque chose d'aussi réel que les trois autres moments, mais dont l'expérience humaine ne peut donner qu'une idée mystérieuse et lointaine.

Pour désigner cette réalité qui se dérobe, la langue humaine ne peut recourir qu'à des images. Le mot employé dans cette formule, le plus fréquent dans le Nouveau Testament pour désigner la résurrection est celui de *réveiller (egeirô)*. Souvent aussi l'on trouve, dans le même sens, le verbe *relever (anistèmi)*. En revanche, le verbe *rendre la vie (zôopoioun)*, qui paraîtrait le plus naturel, n'est appliqué à la résurrection de Jésus qu'une seule fois : « Mis à mort dans la chair, rendu à la vie dans l'esprit » (1 P 3, 18; qu'on note l'antithèse). Peut-être justement parce qu'il s'agit de tout autre chose que de la vie telle que nous l'imaginons. Mais des hommes qui meurent, il est dit que Dieu et Jésus ont la puissance de leur rendre la vie (1 Co 15, 22.45; Rm 4, 17; 8, 11; Jn 5, 21). C'est en définitive *réveiller* qui a la priorité, et qui marque le mieux que c'est Dieu qui ressuscite[1].

Le verbe est ici au parfait passif *(egègertai)*, mais comme ce parfait peut avoir également le sens d'un réfléchi, on peut se demander si le texte veut dire « a été ressuscité » (par Dieu), ou « s'est ressuscité ». Grammaticalement, les deux sens sont possibles, et Jean l'évangéliste fera dire à Jésus : « J'ai le pouvoir de donner ma vie, et de la reprendre » (Jn 10, 17). Mais les textes les plus proches du nôtre soulignent plutôt l'action de Dieu ressuscitant le Christ (Rm 4, 24; 8, 11; 10, 9; Ga 1, 1; 1 Th 1, 10) et un peu plus loin dans son développement, Paul revient sur la formule traditionnelle en l'expliquant : « S'il est vrai que les morts ne ressuscitent pas, nous avons porté un contre-témoignage en affirmant que Dieu a ressuscité le Christ alors qu'il ne l'a pas ressuscité » (1 Co 15, 15). Il est donc probable que ce parfait est un passif, mais ce passif est d'un type à part. Il est employé, selon un usage fréquent des apocalypses, pour désigner un geste de Dieu en évitant de le nommer, à la fois par respect de son Nom et par souci de la vérité, car il serait faux de montrer Dieu agissant à la manière des hommes. Ce *passivum divinmu* comme on l'appelle est un trait caractéristique du langage de Jésus et qui dénote bien la conscience qu'il a de révéler les secrets de Dieu sans violer leur mystère : « Heureux ceux qui pleurent : ils seront consolés » (Mt 5, 5); « Tes péchés sont pardonnés » (Mc 2, 5.9; Lc 7, 48)[2].

---

1. B. RIGAUX, *Dieu l'a ressuscité*, Gembloux, 1973, pp. 314-319.
2. J. JEREMIAS, *Théologie du Nouveau Testament*, I : *La prédication de Jésus* (Lectio divina, 76), Cerf, 1973, pp. 16-22.

Mais ce parfait est un présent : la résurrection n'appartient pas au passé. Si la séquence s'achève sur un verbe au passé « il apparut », ce passé n'a de valeur qu'à cause des témoins qui ont vu le Christ leur apparaître, et ces témoins valent pour aujourd'hui. Cet aspect présent de la résurrection n'est pas seulement une donnée de la réflexion qui envisage l'événement et sait que le ressuscité ne peut plus mourir (Rm 6, 9). Au présent « il est ressuscité » de la formule traditionnelle répond, un peu plus loin dans le développement, un présent identique, qui est, lui aussi, un *passivum divinum* : « S'il est proclamé (par les témoins, c'est-à-dire par la force de Dieu) que Christ est ressuscité » (1 Co 15, 12). Il y a coïncidence entre la présence actuelle du Christ ressuscité et l'annonce faite aux hommes de sa résurrection. Sans doute le raisonnement de Paul dépasse-t-il le contenu immédiat de la formule, mais il prend appui sur la formule elle-même et lui donne sa vraie portée. S'il vaut la peine de transmettre cette formule et si elle a un sens, c'est que « Christ est ressuscité ».

LE RESSUSCITÉ

Il est appelé Christ, sans article, ce qui donne à ce titre la valeur d'un nom propre. Par lui-même cependant, ce nom désigne une fonction, un rôle à jouer, celui de chef et de sauveur d'Israël, un rôle dont est d'abord souligné l'aspect passif : le Christ est le personnage préparé et envoyé par Dieu à son peuple, le roi auquel il confère personnellement l'onction divine. Donner ce nom à Jésus, et en faire son nom propre, ce n'est pas seulement reconnaître que Dieu a tenu la promesse faite à Israël en lui envoyant son Christ, c'est faire, si l'on peut dire, acte d'allégeance envers ce Christ, c'est lui remettre sa foi, c'est proclamer qu'entre lui et son peuple la reconnaissance s'est faite et qu'ils appartiennent l'un à l'autre.

On comprend alors l'importance de la mention « selon les Écritures », deux fois répétée (vv. 3 *b* et 4 *b*). C'est la coïncidence entre les Écritures, la mort et la résurrection, qui constitue pour Jésus le sacre messianique et pour Israël la preuve offerte par Dieu. C'est elle aussi, par conséquent, qui donne à la formule son aspect d'évangile et d'annonce solennelle. Du moment que le Christ s'est manifesté, le premier devoir de tout Israélite est d'aller le dire à son peuple. Garder pour soi une pareille nouvelle, ce serait trahir la race des fils de la promesse.

« Selon les Écritures » a forcément un sens global. Bien que « les Écritures » ne désignent pas ici, comme pour nous, l'ensemble des écrits sacrés, mais l'ensemble des passages qui visent la personne du Christ, cet ensemble est présenté comme un tout. Et s'il est légitime de se demander, dans la ligne même des premiers textes chrétiens, très attentifs à souligner les correspondances visibles, quelles références précises peuvent être visées pour venir appuyer le « mourut pour nos péchés » et le « est ressuscité le troisième jour », il est clair que, dans une formule aussi dense et aussi synthétique, il s'agit avant tout du témoignage global qui ressort d'une vue totale des Écritures. A côté du Messie qui rassemble et comble les espérances de toutes les générations d'Israël, il est normal que la foi chrétienne recueille le témoignage inscrit au long des siècles par ces générations. Proclamer le Christ, c'est nécessairement le dresser sur le socle des Écritures.

Ainsi la formule transmise par Paul aux Corinthiens est-elle tout autre chose qu'une simple relation touchant un personnage digne de mémoire et des événements exceptionnels. Elle est la proclamation d'une foi, où se rejoignent ceux qui annoncent l'Évangile et ceux qui le reçoivent : « Que ce soit moi, que ce soit eux, voilà ce que nous proclamons et voilà ce que vous avez cru » (1 Co 15, 11). Mais cette foi n'est pas l'enthousiasme de quelques exaltés qui s'arrachent à l'existence humaine pour se donner à une figure idéale. Elle est la lecture d'une histoire rigoureusement humaine, l'adhésion à une personne concrète, l'engagement dans une communauté faite d'individus et de leurs particularités. Il s'agit de Jésus, d'un homme et de sa mort; il s'agit de ses disciples, de Pierre et ses compagnons. Mais ce Jésus, on l'appelle Christ, et sa mort devient celle du Messie d'Israël.

Il y a ainsi dans ce texte, et dès son moment « terrestre », une distance prise par rapport à la simple relation : la solennité d'un destin, d'un événement divin. Cette grandeur n'a paru qu'après la mort : c'est en le ressuscitant que Dieu a révélé aux hommes le Christ. Mais en ressuscitant celui qui était mort, et de quelle façon — celui qui avait été enseveli, et l'on sait encore comment —, Dieu a lui-même établi la continuité entre le crucifié et le ressuscité. Telle est sans doute, au-delà des diverses interprétations possibles, la signification du troisième jour, dans une formule aussi dense que la nôtre. Trois jours, pour que la mort soit vérifiée, que la sépulture soit attestée, que l'aventure humaine soit achevée et définitive. Pas plus de trois jours, pour que le tombeau soit toujours là, pour que les témoins soient encore sous le coup du drame, pour que le ressuscité sorte réellement de la mort où on l'a vu disparaître.

Poser ainsi que celui qui reparaît est celui qui disparut, poser que celui qui mourut était déjà le Christ et qu'il est mort à ce titre, que sa résurrection n'apporte pas de personnalité nouvelle, c'est cela qui fait l'unité de ce texte, cela que la foi seule pouvait voir et faire voir. Les évangiles, plus tard, souligneront cette continuité extraordinaire entre le ressuscité paraissant de façon mystérieuse et insaisissable, et l'homme avec qui l'on vivait familièrement. Et les scènes les plus « matérialisantes », le repas à Jérusalem (Lc 24, 12) ou au bord du lac (Jn 21, 13-15), seront faites pour montrer, à travers la reprise des gestes familiers, jusqu'où va cette identité. Dans son langage propre et sa solennité, la formule de foi reçue par les Corinthiens ne dit pas autre chose : de l'événement qui nous échappe, de la rencontre impossible à imaginer dans laquelle Dieu l'a réveillé et ressuscité, le Christ, si l'on ose ainsi parler, émerge identique à lui-même.

Il est donc possible, sur cette confession de foi, d'envisager une histoire du Christ, qui soit le récit de ce qu'il a vécu, et qui aboutisse à la résurrection. Ce sera la Passion, dont on s'accorde à penser qu'elle a constitué le noyau primitif de ce qui deviendra dans la suite nos évangiles. Entre la formule de foi prépaulinienne et les évangiles, il n'y a pas de parenté proprement littéraire, et pas de continuité directe. Il y a cependant une cohérence profonde. Non seulement celle que fait apparaître le langage, puisque déjà Paul nommait « évangile » la confession de foi qu'il transmettait aux Corinthiens (1 Co 15, 1), mais la même donnée de base : le Christ auquel les chrétiens donnent leur foi a été le sujet d'une histoire, il a vécu les événements qui sont rapportés de lui. Entre notre existence et la sienne, il y a un lien, une communication qu'il a vécue : « Il mourut pour nos péchés. » S'il est difficile de préciser exactement l'origine et la signification de ce « pour nos péchés », s'il est plus difficile encore de ressaisir le chemin par lequel la conscience des premiers chrétiens est arrivée à cette certitude, on doit en tout cas relever que, bien avant toutes les théologies construites et toutes les histoires composées, le regard de la foi voit dans la mort de Jésus autre chose qu'un crime ou une fatalité : un événement vécu par le Christ avec son sens.

IL APPARUT

C'est le dernier temps du mouvement décrit dans la formule. Ce temps se produit sur la terre, comme la mort et la sépulture, il n'est pourtant pas accessible comme eux à n'importe quel regard. Seuls l'ont vu quelques témoins, dont on connaît l'identité. Et si seuls ces témoins peuvent en parler, c'est qu'ils ont vécu une expérience singulière. Le verbe « il apparut » pourrait, étant donné la forme passive du verbe grec, se traduire « il fut vu ». En ce cas, les témoins seraient seulement les quelques hommes qui, par un concours de circonstances, auraient eu la chance de voir le Christ ressuscité. Chance qu'un croyant ne peut évidemment attribuer qu'à l'action de Dieu, mais qui, par elle-même, aurait pu être ouverte à beaucoup d'autres. Les apparitions seraient alors des rencontres, et le ressuscité, un personnage identifiable par ceux qui l'ont connu.

Il s'agit de tout autre chose, ce que signifie le datif « à

Céphas et aux Douze ». Ceux-ci n'agissent pas, ils reçoivent quelque chose qui leur est donné. Ce don est de l'ordre de la vision, et l'on ne peut évacuer la valeur du verbe *voir*, mais cette vue n'est pas un phénomène naturel : le ressuscité se fait voir, se donne à voir à un nombre limité de témoins. En quoi consiste cette expérience, le texte ne permet pas de le dire, et ne prétend pas le décrire. Le fait certain est qu'elle n'est pas du même ordre que l'expérience quotidienne. L'emploi du passif *ôphthè* dans la Bible grecque est suggestif[1] : c'est l'apparition soudaine de quelque chose qui était jusqu'alors invisible, l'apparition de la terre sèche émergeant des eaux, le troisième jour de la création (Gn 1, 9), l'apparition des montagnes après le déluge (Gn 8, 5). Mais le cas le plus proche du nôtre est celui où Dieu, dans l'Ancien Testament, se donne à voir à un personnage privilégié : Abraham (Gn 12, 7; 17, 1; 18, 1); Isaac (26, 2); Jacob (35, 1.9; 48, 3); Moïse (Ex 3, 2.16; 4, 1; 6, 3). Ces rapprochements sont instructifs, et nous empêchent de voir dans les apparitions du ressuscité quelque chose de simplement naturel. Ils ont cependant leurs limites, et ne nous permettent pas de définir ces expériences. Car ces « apparitions » divines ne prétendent nullement décrire la rencontre mais seulement poser un contact immédiat entre Dieu et l'homme. Par elle-même, l'expression « il apparut » n'a pas dans ces textes de force évocatrice. Les passages proprement théophaniques, ceux qui mettent en relief l'aspect visuel de l'expérience, ne disent pas de Dieu qu'il apparut; ils décrivent la scène du point de vue de l'homme : « Je vais faire un détour pour voir ce grand spectacle » (Ex 3, 3); « Ils virent le Dieu d'Israël; sous ses pieds il y avait comme un pavement de saphir, limpide comme le ciel même » (Ex 24, 10); « Tu ne peux voir ma Face... tu me verras de dos, mais ma Face, on ne peut la voir » (Ex 33, 20-23). On pourrait, sur ces exemples, être tenté de minimiser la portée de cet « apparaître » du Christ, et n'y voir qu'une expérience intérieure.

---

1. J. Pelletier, « Les apparitions du Ressuscité en termes de la Septante », *Biblica*, 51 (1970), pp. 76-78.

Ce serait sans doute fausser le sens de la formule. S'il est vrai qu'elle peut, dans l'Ancien Testament, désigner simplement une rencontre directe avec Dieu, le cas est ici tout différent. Car nul ne peut voir Dieu sans mourir, et les textes les plus audacieux de l'Ancien Testament, ceux où l'on dirait que l'homme a vu quelque chose de Dieu, ne savent décrire de lui que l'extérieur : ce que l'on voit de dos ou sous ses pieds. Mais celui qui apparut à Céphas est celui qu'on vit mourir et ensevelir, il est fait pour être vu. Il y a dans le « il apparut » une double valeur. Venant à la suite des gestes visibles de la mort, il est une démonstration visible de la vie. Placé dans la ligne des manifestations divines à Israël, il signifie que, pour le ressuscité, se rendre visible, ce n'est pas se montrer dans la rue, mais se montrer dans la force de Dieu, portant la marque de sa gloire, venant de ce point inaccessible.

Si l'on donne à ce « il apparut » tout son poids, son double poids d'expérience humaine et de révélation divine, on comprend mieux les récits évangéliques d'apparitions. Ils sont, eux aussi, à la fois perception rapportée par des témoins et perception d'un mystère inexprimable. Et ils doivent être lus dans cette double perspective.

A mettre tout l'accent sur le caractère expérimental des apparitions, à entendre les dialogues comme s'ils étaient dans le ton des rencontres d'avant la mort, à interpréter les paroles du ressuscité comme si elles étaient simplement la suite de ses déclarations antérieures, on défigure l'expérience de Pâques. Les récits les plus anciens reflètent la brièveté des apparitions et leur caractère fugitif. A leur lumière, on comprend mieux les développements postérieurs. Même l'épisode d'Emmaüs, où Luc a mis tout son art à faire parler Jésus comme le premier des missionnaires chrétiens, garde visible ce trait initial et essentiel des apparitions : « Alors leurs yeux s'ouvrirent et ils le reconnurent, mais il leur était devenu invisible » (Lc 24, 31). Dans toutes les traditions sur la résurrection, les paroles de Jésus sont là soit pour confirmer les enseignements antérieurs, soit pour confier une mission. De là vient que leur langage est soit le langage prépascal du Jésus des évangiles, soit le langage de la communauté postpascale.

Comment pourrait-il en être autrement ? Si le ressuscité a un langage propre, une façon nouvelle de communiquer et de se faire entendre, ce langage ne peut être reçu et transmis qu'à travers des paroles d'homme. Venues du passé, du temps vécu avec Jésus avant sa mort, ou venues de l'avenir, des expériences faites par la communauté chrétienne, elles sont les unes et les autres marquées par la résurrection, elles sont les paroles du Christ ressuscité. On peut, si l'on veut, parler d'artifice, et il est vrai qu'on peut saisir, dans les récits évangéliques, la part du procédé, mais le procédé est assez apparent pour nous faire comprendre qu'il est là pour transcrire l'inexprimable.

Il y a une autre façon de méconnaître la valeur du « il apparut », c'est de le réduire à une expérience intérieure. Non pas que les partisans de cette tendance, un Bultmann, un Marxsen ou un Pesch, donnent à cette expérience intérieure et spirituelle une valeur inférieure. Tout au contraire, elle est pour eux la garantie de la foi, et c'est le besoin « mytho-logisant » de voir et de représenter qui a abouti, à partir de la foi en Jésus vivant au-delà de la mort, à raconter des rencontres avec Jésus ressuscité.

La plus récente de ces tentatives, celle de R. Pesch[1], est aussi celle qui déclare le plus fermement donner toute leur valeur aux textes du Nouveau Testament, et en particulier à notre formule « il apparut ». R. Pesch part d'une donnée qui avait déjà été relevée : c'est le lien établi, dans plusieurs récits de l'Ancien Testament, entre la mention « Dieu apparut » et la vocation d'un prophète (Ex 3, 2 ; Is 6, 1). Voir apparaître Dieu, cela peut donc signifier être envoyé par lui. Dire que Jésus apparut à Céphas, c'est dire que Pierre a reçu du Christ la mission d'aller l'annoncer. D'où Pierre tient-il cette certitude ? Non pas d'une vision du Christ ressuscité au sens de l'interprétation courante, mais d'une foi reçue de Jésus lui-même avant sa mort et vérifiée par sa mort. C'est Jésus qui,

1. A. Vögtle - R. Pesch, *Wie kam es zum Osterglauben*, Düsseldorf, 1975. En français, il n'existe sur ce point que les indications fournies par X. Léon-Dufour dans le *Bulletin d'exégèse du Nouveau Testament* des Recherches de Science religieuse, 64 (1976), pp. 420-421.

avant sa mort, avait appris à ses disciples que le martyre était le sceau du vrai prophète, et que le sien serait le signe qu'il était le Prophète messianique des derniers temps. A la mort de Jésus, Pierre et ses compagnons comprirent les paroles de leur Maître, ils le crurent, et se mirent à annoncer leur foi : Christ est ressuscité, et il nous a chargé de l'annoncer aux hommes.

La différence fondamentale entre cette interprétation et celle de Bultmann ou de Marxsen, c'est que, pour R. Pesch, il y a continuité directe entre la conscience de Jésus Messie et la foi proclamée par ses disciples. En ce sens, Pesch, il a raison de le dire, est beaucoup plus « conservateur » que Bultmann ou Marxsen, pour qui la foi en Jésus ressuscité est une interprétation de sa mort et de son message, créée et formulée par la communauté, sans qu'on puisse établir de communication entre cette foi et la personne du Jésus d'avant la mort, de celui que Paul appelle « le Christ selon la chair ».

Il faut certainement rendre justice à R. Pesch, et apprécier à sa valeur le souci qu'il a de faire remonter la foi des disciples à leur contact avec le Jésus d'avant Pâques. Trop souvent aujourd'hui on est porté à réduire le christianisme à Pâques, et à tout ramener à l'événement insaisissable de la résurrection, comme si elle avait un sens indépendamment de la personne de Jésus. Il est bon qu'une recherche critique tente de repérer le chemin par lequel Jésus a conduit les siens jusqu'à la foi de Pâques. Cette recherche est infiniment précieuse.

Il est difficile néanmoins de suivre R. Pesch jusqu'au bout. Par elle-même la formule « Dieu apparut », dans les récits bibliques, ne signifie pas l'envoi en mission : il faut qu'elle soit précisée par un mot d'envoi, sinon elle dit seulement une rencontre avec Dieu où celui-ci donne à voir quelque chose de lui. Et il faut lire le développement de la formule que Paul adresse aux Corinthiens : « Ensuite, il est apparu à plus de cinq cents frères à la fois; la plupart sont encore vivants et quelques-uns sont morts. Ensuite, il est apparu à Jacques, puis à tous les apôtres. En tout dernier lieu, il m'est apparu aussi à moi l'avorton » (1 Co 15, 6-8). Car Paul en arrive à lui et à sa propre vocation : « Car je suis le plus petit des apôtres » (1 Co 15, 9). Mais il est clair que s'il se met à la suite des cinq cents frères, ce n'est pas qu'il voie en eux des apôtres légitimés par cette apparition. Il dit seulement que ces hommes, comme Céphas et les Douze, comme lui, ont vu le Christ ressuscité. Ils sont témoins, et l'on peut aller les interroger.

Il faut laisser « il apparut » dans la série des trois verbes antérieurs, et lui donner toute sa portée comme à un événement du Christ. Assurément, ce fut aussi un événement pour les témoins et, sans eux, il serait impossible de le transmettre, mais ils sont là pour attester le dénouement divin de l'événement vécu par Jésus. Il y a, dans ce document si ancien de la foi chrétienne, quelque chose d'une contemplation, le regard fixé sur celui qui meurt et que l'on voit disparaître, puis la certitude que, même s'il est impossible de le voir maintenant tel qu'il est, il faut garder les yeux ouverts, car il est pour toujours celui qui se donne à voir. Sans prétendre que le rapprochement s'impose, on peut évoquer Paul rappelant aux Galates comment « Jésus Christ crucifié a été exposé sous leurs yeux » (Ga 3, 1). Il n'est pas nécessaire d'imaginer Paul essayant de décrire une scène à laquelle il n'avait pas assisté. Rien dans son œuvre n'oriente dans cette direction. Il suffit peut-être de l'entendre répéter ce qu'il avait reçu lui-même : « Christ mourut pour nos péchés selon les Écritures et fut enseveli; il est ressuscité le troisième jour selon les Écritures et il apparut. » Il y a dans ces quelques mots de quoi fasciner un regard et fixer une espérance.

ORIGINE ET DATE DE LA FORMULE

Deux évidences s'imposent, qu'il est impossible de sacrifier, mais qui ne concordent pas immédiatement de façon visible. D'une part, l'ancienneté de la formule, de l'autre son caractère élaboré. Le jeu entre le temps des quatre verbes, entre les deux membres longs et les deux courts, la densité de l'expression « pour nos péchés » formulée comme si elle n'avait pas besoin d'explication, l'aspect technique de la notation « selon les Écritures », les références qu'elle suppose sans avoir besoin de les présenter, tous ces traits suggèrent une préhistoire remplie, un travail continu de réflexion et de transmission.

Nous possédons d'ailleurs un mot qui a toutes chances d'être plus primitif que notre formule, et qui pourrait représenter sa forme la plus simple. C'est le cri de joie des disciples rassemblés, dans l'évangile de Luc, le soir de Pâques : « Le Seigneur est réellement ressuscité et il est apparu à Simon » (Lc 24, 34)[1]. De soi, une formule courte n'est pas nécessairement plus ancienne qu'une formule longue, elle peut au contraire être un abrégé simplifié ou une référence indirecte. Ici pourtant, le nom de Simon donné à Pierre, signe d'une couche ancienne. de la tradition, le parallélisme immédiat entre les deux verbes (est ressuscité - est apparu; littéralement, à l'aoriste : ressuscita - apparut) donnent à penser que l'on est ici aux origines mêmes de la confession chrétienne, et qu'il a fallu un certain temps pour arriver à la formule complète.

Il reste que la formule développée est elle-même fortement marquée de sémitismes et de traits anciens. Le « pour nos péchés » rappelle Is 53, 5.8, mais ne le cite pas selon le texte grec de la Septante, usuel en milieu hellénistique. Et Paul déclare avoir reçu cette confession de foi en même temps que la tradition chrétienne, c'est-à-dire tout près de sa conversion et certainement bien avant l'an 40. Tout cela porte à conclure que la formule remonte à la communauté la plus ancienne, celle qui parlait araméen, celle à laquelle appartenait la série des témoins.

On ne s'étonnera pas pour autant que, lorsqu'il la cite, Paul reproduise le texte en usage dans ses communautés, et que ce texte, au moment même où il le transmet à Philippes ou à Corinthe, en 50 ou 51, ait déjà trouvé sa forme définitive. Peut-être l'avait-elle depuis longtemps : ce n'est certainement pas impossible, car il serait absurde de refuser aux toutes premières communautés chrétiennes une puissance de créa-

1. J. JEREMIAS, *Théologie du Nouveau Testament. La prédication de Jésus*, p. 383.

tion, susceptible d'atteindre jusqu'au langage. Mais nous ne pouvons préciser aucune date.

Dernière question : comment se transmet une formule de ce type ? Est-ce un formulaire enseigné par un maître et répété par des disciples ? Ou une confession proclamée en chœur dans une assemblée ? Nous avons trop peu d'éléments pour conclure avec certitude. Une chose sûre, c'est qu'il s'agit d'un texte fait pour un public assemblé, et d'un texte transmis avec autorité. D'après ce que nous savons des premières communautés chrétiennes, le lieu où l'on trouve à la fois une assemblée réunie et une parole transmise au nom du Seigneur, c'est avant tout le baptême. C'est là que l'annonce de l'Évangile donne naissance à la foi, et que la foi est reçue et confessée dans l'Église. Il y a bien des raisons pour rattacher notre formule à la liturgie du baptême, mais il est impossible de préciser davantage.

LES PAROLES DE LA CÈNE

Sur l'origine de la proclamation du ressuscité, sur le lieu de sa transmission, nous ne pouvons dépasser les vraisemblances et les hypothèses. Nous pouvons dire au contraire avec certitude comment se sont transmises les paroles « eucharistiques » prononcées par Jésus sur le pain et le vin, à son dernier repas. Ici, en effet, les paroles sont inséparables du geste; celui qui dit « prenez » le dit en tendant le pain à ses compagnons, et si les paroles ont été transmises, elles l'ont été en même temps que le geste. Le lieu où se transmettent à la fois les paroles et le geste ne peut être que l'assemblée chrétienne, réunie pour la « fraction du pain ». Sous la forme du substantif (Lc 24, 35; Ac 2, 42) ou du verbe (Ac 2, 46; 20, 7.11; 1 Co 10, 16), l'expression a une valeur propre pour désigner un geste typique, autour duquel se réunit la communauté (Ac 2, 42; 20, 7; cf. 1 Co 11, 18), donc un geste de nature culturelle, nommé encore par Paul « le repas du Seigneur » (1 Co 11, 20).

Il est d'ailleurs notable que la formule transmise par Paul (1 Co 11, 24.25), de même que le texte de Luc, très voisin (Lc 22, 19), ajoute aux paroles sur le pain et le vin un « faites cela » absent de Matthieu et de Marc. Ce « faire » désigne évidemment le geste liturgique, d'une liturgie où il s'agit à la fois de dire et de faire.

La formule reproduite par Paul n'est d'ailleurs sans doute pas la plus ancienne. J. Jeremias, spécialiste des passages de l'hébreu/araméen au grec, pense que le texte le plus ancien, le plus proche de l'original sémitique, se trouve chez Marc (Mc 14, 22-24)[1]. Et c'est sur la version de Marc que nous aurons à revenir. Mais le texte de Paul est précieux à un double titre. Parce qu'il est antérieur à celui de Marc d'une dizaine d'années ou davantage. Et surtout parce qu'il évoque explicitement le fait de la transmission et son mode.

Cette transmission remonte au Seigneur en personne. C'est de lui que viennent à la fois les gestes et les paroles :

> *Voici ce que j'ai reçu du Seigneur,*
> *et ce que je vous ai transmis :*
> *le Seigneur Jésus, dans la nuit où il fut livré, prit du pain...*
>
> 1 Co 11, 23 *b.*

Ressemblances et différences avec la tradition sur la résurrection sont visibles. Même façon de « recevoir » et de « transmettre » (dans l'ordre inverse de 1 Co 15, 1.11). Même style, fait de phrases courtes où tous les mots portent, qui se succèdent et se répondent. Les différences sont d'autant plus sensibles. A la place du Christ en son rôle et son œuvre de Messie, le personnage est « le Seigneur », « le Seigneur Jésus ».

Il est difficile de dire si le titre de Seigneur donné à Jésus appartient à la formule traditionnelle, ou s'il a été introduit par Paul. D'une part, il est assez naturel qu'une formule

---

1. J. Jeremias, *La dernière Cène. Les paroles de Jésus*, pp. 190-205; X. Léon-Dufour, « Jésus devant sa mort à la lumière des textes de l'Institution eucharistique et des discours d'adieu », dans J. Dupont (édit.), *Jésus aux origines de la christologie*, Gembloux, 1975, pp. 141-168.

liturgique évoquant la présence de celui autour duquel se rassemble la communauté célèbre en Jésus son Seigneur, de même qu'il est normal de parler du « repas du Seigneur » (1 Co 11, 20) ou du « jour du Seigneur » (Ap 1, 10). D'autre part, le Seigneur tient une telle place dans tout le développement du chapitre et la réflexion de Paul sur ce repas (1 Co 11, 23 *a*.23 *b*.26.27 *a*.27 *b*.29) qu'il a pu amener ici ce nom donné à Jésus. D'ailleurs, qu'il soit de Paul ou de la tradition antérieure importe en somme assez peu, car même s'il est de Paul, il est là pour donner à la tradition toute son autorité. Cette autorité lui vient en effet du Seigneur et à un double titre.

Elle vient du Maître d'autrefois, celui qui rassemblait une dernière fois les siens autour d'un repas avant de les quitter. Elle vient également du Seigneur ressuscité, qui manifeste sa puissance en donnant à la communauté qui porte son nom de transmettre à travers l'écoulement du temps, la dispersion des chrétiens et les menaces de l'extérieur, la permanence du geste et des paroles. Quand il rappelle la tradition sur le ressuscité, Paul met en avant la convergence des témoignages et la fidélité des témoins : « Que ce soit eux, que ce soit moi… » (1 Co 15, 11). Mais la tradition sur la Cène doit sa force à la personne même du Seigneur. Dans cette différence, peut-être inaperçue de Paul lui-même, il est sans doute possible d'apercevoir la différence entre la Parole et le Sacrement : l'un et l'autre viennent du Seigneur, et tous deux sont remis entre les mains des hommes. L'un et l'autre sont du reste inséparables, et il n'est pas de geste sacramentel sans référence à la parole du Seigneur, mais le sacrement est là pour montrer que dans sa parole le Seigneur est présent et agissant.

L'intérêt du texte de Paul est de prouver que la tradition sur la Cène est ancienne et remonte à la première décennie du christianisme. Mais il ne s'ensuit pas nécessairement que la version citée par l'épître aux Corinthiens représente la forme la plus ancienne de cette tradition. Les travaux de J. Jeremias confirment ces données et les précisent : à partir de l'évangile de Marc (Mc 14, 22-24), il est possible de

remonter à un original hébreu ou araméen, en tout cas
palestinien, qui donnerait, transcrit en français mot à mot :

(prenez)   *ceci* . *mon corps*
           ma chair
           . *mon sang de l'alliance*
      ceci *l'alliance dans mon sang*
      qui... pour beaucoup

Entre corps et chair, entre sang de l'alliance et alliance
dans le sang, Jeremias ne pense pas pouvoir choisir. Ces
hésitations ne sont pas gênantes, ce qui nous intéresse ici est
seulement le sens que prend le geste de Jésus quand il est
accompagné de ces paroles.

Il est clair d'abord que les paroles supposent le geste. Le
(prenez) est entre parenthèses, et il est de fait absent du texte
de Luc (Lc 22, 19.20), mais qu'il soit prononcé ou non, et
surtout s'il ne l'est pas, il implique que Jésus fasse le geste
de tendre le pain et la coupe, sans quoi les paroles n'ont
aucun sens. Inversement, le geste n'a de signification que
par une parole. Ou bien Jésus, prenant le pain et la coupe,
ne fait que suivre la coutume du repas juif, et il n'a pas besoin
de dire autre chose que les formules rituelles, ou il veut faire
autre chose, et il le dit.

Or il le dit, il dit quelque chose d'absolument neuf, et qui
cependant garde assez d'attaches avec des choses connues
pour avoir un sens.

LE GESTE ET SON SENS

Partager entre les convives le pain servi sur la table, faire
circuler une coupe de vin, c'est établir entre eux la communion d'un repas. Quand ce repas est un repas de fête, un repas
sacré, cette communion prend une valeur solennelle. Quand
cette fête est appelée la Nouvelle Alliance, elle prend la
valeur d'un événement sans précédent dans l'histoire d'Israël

et dans l'œuvre de Dieu. Quand ce repas, cette communion, cette fête et cet événement se trouvent rattachés au pain et au vin par l'explication : « Ceci est mon corps... ceci est mon sang », cela veut dire que tout tient dans ce geste et dans cette explication. Ici se passe l'événement décisif : seul peut le dire celui qui est en train de le vivre.

L'événement comporte deux faces : une face visible, le rite symbolique — une face invisible, la réalité nouvelle créée par Dieu, l'alliance promise enfin conclue. En cela, il n'est pas différent des rites antérieurs, familiers aux enfants d'Israël. Chaque année ils célébraient les rites de la Pâque, et célébraient l'événement d'autrefois, la libération d'Égypte, chaînon décisif dans l'instauration de l'Alliance de Dieu et de son peuple. Ce qui est radicalement nouveau ici, c'est qu'entre les deux faces il y a coïncidence parfaite, c'est que le rite et la réalité se rejoignent. Les alliances antérieures étaient conclues et renouvelées par des gestes essentiellement symboliques : des sacrifices d'animaux. L'animal demeure forcément extérieur à l'événement qui se produit, et l'homme qui offre le sacrifice, si purs que soient son désir et sa foi, n'y entre jamais jusqu'au fond.

Mais quand Jésus dit à ses disciples : « C'est mon corps... c'est mon sang », il dit que le sacrifice est accompli, et que par conséquent la réalité est là, l'événement de l'Alliance Nouvelle est advenu. Du rite, il subsiste encore quelque chose, une distance entre le geste visible et la réalité signifiée, un élément qu'on peut tenir entre ses mains et porter à sa bouche, mais l'élément n'est plus qu'un voile, un pur signe : ce qui est mangé et bu, c'est la réalité même, le corps et le sang du Seigneur.

Cette coïncidence entre le rite et la réalité, dite par la parole de Jésus, ne peut s'expliquer que par l'instant où cette parole est dite et la façon dont elle est dite. Les paroles sur le pain et le vin sont inséparables de l'heure, qui est celle du dernier repas et de la trahison. Les récits évangéliques soulignent fortement que ce repas a lieu, sur l'initiative de Jésus, entre le moment où Judas s'engage à livrer Jésus aux chefs des prêtres, et l'heure où il vient l'arrêter. Ils soulignent aussi la lucidité avec laquelle Jésus suit le déroulement de la trahison. Il est encore entièrement libre quand il remet aux siens son corps et son sang. Il ne l'est plus quand la coupe achève de circuler : sa vie ne lui appartient plus, il l'a donnée pour eux. Les formules grecques, « mon corps pour vous » (1 Co 11, 24), « mon corps donné pour vous » (Lc 22, 19), explicitent une donnée déjà présente dans la formule primitive, par son rapport avec le geste rituel et par sa place dans le récit évangélique, à la veille de la Passion. La formule de la tradition paulinienne l'exprime de son côté avec une netteté parfaite : « Le Seigneur Jésus, dans la nuit où il fut livré... » (1 Co 11, 23).

La tradition des paroles et des gestes du dernier repas nous livre une certitude de l'Église qui remonte à ses toutes premières années et qui porte sur un point capital. Tout autant que la réalité du corps et du sang, la formule affirme la réalité de l'initiative de Jésus et le sens de son geste. Si l'on veut savoir comment l'Église a pu découvrir et proclamer que le Christ était mort pour tous les hommes, il est probable que c'est en répétant et en transmettant dans ses Eucharisties les paroles et les gestes du Seigneur. Car si l'on cherche dans les évangiles le moment où Jésus aurait explicitement formulé le sens de sa mort et son effet sur l'humanité, on ne découvre, à part celles-ci, aucune parole indiscutable et sans équivoque : toujours des allusions voilées. Même dans l'évangile de Jean, le plus explicite de tous, les indications les plus nettes sont données par des témoins, Jean-Baptiste montrant « l'Agneau de Dieu qui enlève le péché du monde » (Jn 1, 29), ou l'évangéliste notant que « il fallait que Jésus meure... pour réunir dans l'unité les enfants de Dieu dispersés » (Jn 11, 51-52). Les paroles de Jésus les plus explicites sont là aussi celles qui visent l'Eucharistie : « Le pain que je donnerai, c'est ma chair, donnée pour que le monde ait la vie » (Jn 6, 51).

Ainsi les deux traditions sur la résurrection et sur l'eucharistie se rejoignent et se complètent. Toutes deux ont pour centre la mort de Jésus, l'événement public et indiscutable. Toutes deux apportent le témoignage de ceux qui, avant ou après l'événement, ont reçu de quoi le comprendre et l'expliquer. Les témoins de l'après sont aussi ceux de l'avant, et c'est nécessaire, puisqu'ils doivent attester qu'il s'agit du même événement et du même Jésus. Avant, ils disent pourquoi il est mort : parce qu'il a donné sa vie pour fonder une existence nouvelle. Après, ils disent à quoi l'a conduit sa mort : à ressusciter pour retrouver ceux pour qui il avait donné sa vie. Deux versants d'un unique événement, d'une action où Dieu, le Christ et l'homme sont liés pour toujours.

Que Paul, en rappelant cette double tradition, renvoie les chrétiens turbulents de Corinthe au temps, qui peut leur sembler ancien, de sa propre conversion, au monde, qu'ils doivent trouver lointain, des premières communautés de Palestine, ce n'est pas seulement un signe du lien qui unit les Églises de Dieu par-delà les distances et les différences. C'est la preuve que ce lien est la personne de Jésus, la présence du Christ mort et ressuscité. Ce que les communautés nouvelles reçoivent de leurs aînées, ce qu'elles transmettent aux nouveaux croyants qu'elles baptisent et rassemblent dans la foi, ce n'est pas le souvenir d'un événement, c'est la présence même de cet événement, c'est l'acte de liberté qui l'a produit, c'est le geste humain de Jésus donnant sa vie pour les siens, et le geste divin de Dieu ressuscitant son Christ, c'est l'événement vécu, si l'on ose dire, à la fois par les témoins, par Jésus et par Dieu.

II

Le discours :
l'annonce de l'événement

Les *Actes des Apôtres*, dans leur première moitié, contiennent un certain nombre de « discours » dont l'objet est d'annoncer la foi chrétienne aux auditeurs mis en scène. Parmi ces discours, la série la plus caractéristique est constituée par six morceaux manifestement apparentés : quatre discours prononcés par Pierre devant les Juifs de Jérusalem (Ac 2, 14-36 ; 3, 19-26 ; 4, 9-12 ; 5, 29-32), un autre, également prononcé par Pierre, à Césarée, à l'entrée de la maison du centurion romain Corneille (10, 34-43), enfin le discours prononcé par Paul dans la synagogue d'Antioche de Pisidie (13, 17-41). Un trait essentiel, commun à ces six morceaux, est la présentation du personnage Jésus, dans son existence terrestre et dans son action de ressuscité. L'intérêt exceptionnel de ces discours est de nous fournir comme un résumé autorisé de la foi des premières communautés chrétiennes, et de compléter, par une approche différente, les traditions que nous venons d'étudier. Celles-ci appartenaient à la vie interne de la communauté, elles reproduisaient ce que les croyants réunis faisaient et entendaient. Les discours, eux, exposent ce que la communauté dit à l'extérieur, sa façon de parler aux gens du dehors. C'est pourquoi on les appelle souvent « discours missionnaires ».

LES « ACTES DES APÔTRES »
LES PREMIERS RÉCITS

Pour apprécier exactement le contenu de ces discours, il est nécessaire de savoir d'où ils viennent et comment ils se sont formés. Or leur condition est, de ce point de vue, beaucoup moins favorable que celle des traditions rappelées par Paul aux Corinthiens. Celles-ci nous faisaient remonter, plus ou moins directement, aux premiers temps de l'apôtre converti, autour des années 40. Les discours des *Actes* font partie d'une œuvre composée beaucoup plus tard, après la ruine de Jérusalem en 70 et la rupture définitive entre le judaïsme et l'Église, après les persécutions de Néron, après la mort de Pierre et la fin de la première génération chrétienne, la génération « apostolique ». On date généralement le troisième évangile et les *Actes* autour de l'année 80, et il y a de fortes raisons pour attribuer les deux ouvrages au même auteur, Luc, le compagnon de Paul, « le cher médecin » (Col 4, 14; cf. Phm 24)[1].

Même si l'on donne tout leur poids aux données qui rattachent directement les *Actes* à la personne et à l'action de Paul, il est manifeste néanmoins que ces liens ne paraissent que dans la dernière partie du livre, à dater du moment où Paul quitte Troas et l'Asie pour passer en Macédoine (Ac 16, 9-10). C'est en effet à partir de là que le narrateur, pour raconter l'histoire de Paul, parle à la première personne du pluriel : « A la suite de cette vision de Paul, *nous* avons immédiatement cherché à partir pour la Macédoine. » Ce récit en « nous » ne se prolonge pas du reste constamment; il ne forme que quatre fragments : 16, 10-17; 20, 5-15; 21, 1-18; 27, 1 — 28, 16. Mais ces interruptions renforcent plutôt la valeur du récit global, car elles correspondent précisément aux temps où Paul est séparé du narrateur, soit parce qu'il se trouve en

---

1. Cf. E. Trocmé, *Le « Livre des Actes » et l'histoire*, Delachaux & Niestlé, 1957.

prison (16, 19-40; 21, 33 — 26, 32), soit parce qu'il a laissé son compagnon en Macédoine (17, 1 — 20, 4). Pour la période qui va de l'arrivée de Paul en Macédoine et de la fondation des premières églises typiquement pauliniennes, Philippes, Thessalonique, Corinthe, jusqu'à son installation à Rome, période qui, dans l'œuvre écrite de Paul, correspond aux grandes épîtres, c'est-à-dire pour la décennie 50 à 60, les *Actes* et les *Épîtres* se recoupent souvent et se rejoignent aisément. Mais il n'en va pas de même pour les années antérieures, qu'il s'agisse de l'activité de Paul depuis l'événement de Damas, ou de celle de Pierre, à Jérusalem et à Césarée. Alors, entre les données des *Actes* et les précisions formulées par Paul, en particulier dans la lettre aux Galates, les concordances sont difficiles à établir. Et si l'activité de Pierre pose moins de problèmes, cela tient d'abord à ce que sur ce point nous ne possédons pas d'autres renseignements que ceux des *Actes*, et donc pas de risques de divergences. Or les discours qui nous intéressent appartiennent tous à la première partie de l'ouvrage, à la période où le narrateur n'est pas témoin direct et ne peut recourir qu'à des informations ou des documents venus des autres.

Sans vouloir aborder les problèmes difficiles des sources des *Actes*[1] et de leur documentation, il est cependant nécessaire d'apporter quelques précisions. Il faut d'abord distinguer, dans les *Actes*, la partie narrative, relation des événements, et les discours. Dans la relation des faits, il faut encore mettre d'un côté les récits proprement dits et de l'autre les « sommaires », simples résumés ne comportant aucune précision et donnant seulement une vue d'ensemble : « Ils étaient assidus à l'enseignement des apôtres et à la communion fraternelle, à la fraction du pain et aux prières » (2, 42); « Beaucoup de signes et de prodiges s'accomplissaient dans le peuple par la main des apôtres » (5, 12); « La parole de Dieu croissait et le nombre des disciples augmentait » (6, 7); « La parole du Seigneur gagnait toute la contrée » (13, 49).

Comparés avec ces sommaires vides de tout détail, les récits,

---

1. J. DUPONT, *Études sur les Actes des Apôtres* (Lectio divina, 45), Cerf, 1967.

celui de la Pentecôte, de la guérison de l'infirme à la Belle-
Porte, de la mort d'Étienne ou de la conversion de Saul, ont
une allure concrète et donnent l'impression de la vie. Mais
cette impression doit beaucoup à l'art d'un narrateur maître
de ses procédés. Vus de près, ces récits demeurent très schéma-
tiques et ne sont pas faits pour donner à voir l'action et son
déroulement. Le récit de la Pentecôte par exemple, ou celui
de Saul sur la route de Damas, se réduisent à une relation
très sèche. Tous les détails ou presque renvoient à des scènes
analogues de l'Ancien Testament. La conversion de Paul
évoque la vocation de Jérémie. L'événement de la Pentecôte,
par ses traits les plus significatifs, le feu, le bruit, le vent, la
maison secouée sur ses fondations (2, 3-4), reproduit sur un
registre mineur les descriptions grandioses du Sinaï, quand
Dieu parlait à Moïse sur la montagne, dans la lueur des
éclairs et le fracas des tremblements de terre (Ex 19, 16.18;
cf. 1 R 19, 11-12)[1]. Mais tout se passe maintenant d'une
façon infiniment modeste, dans le cadre d'une maison, pour
un petit groupe d'hommes dépourvus de moyens. A travers
ces parallèles et ces contrastes apparaît la différence capitale,
celle qui donne son sens à toute cette page : le feu du Sinaï,
barrière qui défendait le Dieu inaccessible, se change ici en
langues et vient envahir les hommes de l'intérieur; la parole
de Dieu ne leur est plus transmise du dehors par Moïse, elle
naît dans leur propre cœur, le feu est Esprit.

  Pauvreté des détails concrets et des réactions vécues, richesse
des rapprochements avec les Écritures, ces deux traits
contrastés marquent plus ou moins tous les récits de la première partie des *Actes*. Or, le même contraste se retrouve dans
les deux premiers chapitres de l'évangile de Luc, qui racontent
l'enfance de Jésus. De soi, il n'est pas étonnant de voir le
même auteur recourir aux mêmes procédés, mais il est permis
de se demander pourquoi ces procédés reparaissent en des
moments si éloignés l'un de l'autre. Prétendre que Luc veut
ainsi souligner la symétrie entre l'enfance de Jésus et l'enfance

  1. P.-H. Menoud, « La Pentecôte lucanienne et l'histoire », dans *Jésus Christ et la foi*, Delachaux & Niestlé, 1975, pp. 118-130.

de l'Église, ce n'est qu'une hypothèse sans appui solide. L'enfance de l'Église, était-ce un thème susceptible de parler à un chrétien de ce temps ?

L'explication la plus valable est sans doute que, dans les deux cas, l'auteur se trouve à peu près dans la même situation. Il veut décrire des événements qui ont pour lui une importance considérable, mais sur lesquels il n'a que peu d'informations précises. C'est clair pour l'enfance de Jésus. Entre la naissance de Jésus et la composition du troisième évangile, l'espace est approximativement de quatre-vingts ans. Et, tandis que les paroles et les gestes de Jésus durant son activité publique étaient de bonne heure recueillis et répétés dans les communautés chrétiennes, les souvenirs sur son enfance n'avaient pas donné naissance à une tradition continue. Ils n'avaient pas tous disparu quand Luc entreprend de les rassembler pour composer son histoire de Jésus, et il peut encore interroger soit des témoins directs, soit des gens qui les avaient connus. Si les premières pages de l'évangile de Luc comportent un certain nombre de noms propres, Zacharie, Élisabeth, Siméon, Anne, c'est une façon pour l'auteur de présenter ses références. Mais leurs réactions personnelles ne sont décrites que de très loin, et tiennent beaucoup moins de place que les cantiques que Luc met sur leurs lèvres, et qui sont tissés de réminiscences bibliques. Façon de nous faire savoir que, s'il n'est pas en mesure de raconter le déroulement de ces rencontres, il tient à mettre en valeur leur importance et leur signification dans l'histoire de Jésus.

Il en va sensiblement de même pour les premiers récits des *Actes*. La distance entre les faits et leur relation par écrit est cependant beaucoup moins grande, entre trente et cinquante ans, et les témoins de ces années sont infiniment plus nombreux que ceux de l'enfance de Jésus. Mais, pas plus que pour les premières années du Seigneur, il n'existait de tradition sur les débuts des communautés chrétiennes. Celles-ci ne possédaient ni secrétaires ni archives, et ne songeaient certainement pas, au moment où se formaient les premiers noyaux chrétiens, à tenir registre des événements et à transmettre leur récit à la postérité. Comme toutes les naissances, celle de l'Église se produit dans l'obscurité, dans une obscurité plus profonde que beaucoup d'autres, parce qu'elle ne touche que de petits groupes, dans des milieux modestes et qui ont peu de poids dans les affaires du monde. En quoi d'ailleurs les événements qui marquaient la vie de ces communautés auraient-ils mérité d'être conservés ? Ce qu'il fallait conserver précieusement, c'étaient les paroles et les gestes de Jésus, et s'il est naturel que les traditions sur Jésus remontent aux origines mêmes de l'Église, il est normal aussi que l'Église n'ait jamais conservé de tradition sur elle-même.

Il faut se garder de lire les *Actes* comme on lit les évangiles. Les *Actes* sont bien la suite des évangiles, en particulier du troisième évangile, mais ni les récits ni les paroles qu'ils contiennent ne prennent la suite directe des évangiles. En réalité, les *Actes* retracent l'histoire de la Parole (cf. Ac 6, 7 ; 13, 49), et cette Parole est bien celle que disait Jésus, mais sous une forme nouvelle : à la parole de Jésus a succédé la parole sur Jésus. Elle a pour Luc la même origine et la même force, mais elle ne s'exprime pas et ne se transmet pas sur le même mode.

LES DISCOURS DES « ACTES »

Le mode habituel de la parole dans les *Actes* est le discours. Les discours occupent dans l'ouvrage une place considérable, à peine moins importante que celle des récits. L'alternance entre récits et discours est d'ailleurs une règle universelle chez les historiens grecs et romains. Le portrait des principaux personnages, le récit de leurs actions, la relation de leurs paroles, ces trois formes maîtresses permettent à l'historien d'évoquer le passé qu'il veut décrire. Les discours sont en général aussi artificiels que les portraits, et composés de toutes pièces par l'auteur, qui peut de la sorte faire la preuve de ses talents d'orateur. Car ce monde est celui de la rhétorique ; les cités grecques et romaines dont on raconte l'histoire, sont fondées sur des institutions où les diverses assemblées, et par conséquent les débats et les discours, jouent un rôle décisif. La rhétorique y est une pièce essentielle de la politique, et la parole un des instruments du destin. C'est pourquoi, quand un historien, au-delà de la narration des faits, veut faire apparaître les forces mises en jeu, celles des idées, des impulsions, des caractères, il donne la parole à ses personnages. Procédé qui va de soi, ne comporte aucune supercherie et ne trompe personne.

Lorsque l'auteur des *Actes* compose son œuvre, il est normal et quasi nécessaire qu'il l'écrive selon les règles habituelles. Il montre ainsi qu'il est un historien comme les autres et qui connaît son métier. Au lecteur de savoir interpréter ce qu'il lit, et prendre le recul qui convient pour recueillir la substance de ces discours.

Toutefois, pour peu qu'il soit attentif, le lecteur s'aperçoit vite que ces discours échappent souvent aux règles familières. La rhétorique habituelle n'y joue pratiquement aucun rôle. Même les pièces les plus longues, comme le discours d'Étienne devant le Sanhédrin (7, 1-53), même celles qui se présentent comme des plaidoyers, comme le discours de Paul prisonnier devant Festus et Agrippa (26, 1-30), sont avant tout des exposés, le rappel d'événements passés. D'autre part, plusieurs de ces discours, en particulier les « discours missionnaires » de Pierre et de Paul, sont construits selon un schéma très ferme, un modèle susceptible d'être élargi ou réduit au minimum, mais qui est toujours une proclamation et une annonce.

C'est que, si l'auteur des *Actes* a lu des historiens grecs, il a lu, avec une tout autre attention, les prophètes d'Israël. C'est à eux qu'il emprunte non pas tant la forme de ses discours — car les discours des *Actes* ne reproduisent guère les formes typiques de la prédication prophétique, — mais la nature même du discours prophétique, qui est proclamation d'une parole et d'un événement. De ce point de vue, qui est capital, les discours des *Actes* sont à l'opposé des discours des historiens classiques. Ceux-ci expriment les réactions des personnages, l'état d'esprit d'une cité ou d'une armée, des positions prises dans tel ou tel parti. Les discours des *Actes*, même si leur auteur tient compte de la personnalité des orateurs, et ne fait pas parler Pierre comme Étienne ou Paul, sont avant tout la proclamation de l'événement Jésus Christ. L'auditoire peut changer : Juifs rassemblés dans le Temple ou au Sanhédrin, paysans de Lystres ou intellectuels d'Athènes, notables de la communauté d'Éphèse ou princes régnants. Les perspectives varient, les accents se déplacent, le sujet est toujours le même : il s'est passé dans le monde un événement qui a tout changé, et en face duquel tout homme doit prendre parti.

Le véritable modèle de ces discours, ce sont les discours des prophètes. Eux aussi partaient des événements pour les interpréter; eux aussi prenaient la parole au nom du Seigneur et pour expliquer son action; eux aussi fondaient leur message sur une initiative divine indiscutable, une promesse indéfectible, et sur la certitude qu'elle s'accomplirait. Or, dans cette initiative et dans son accomplissement, la parole des prophètes tenait une place irremplaçable; elle était elle-même un accomplissement et la confirmation de la promesse. Si les prophètes parlaient, c'est que Dieu était là et qu'il agissait, c'est qu'il était toujours « Celui que je suis ». La parole des prophètes n'est pas dans l'Ancien Testament une façon de présenter les événements et d'interpréter l'histoire : elle est l'histoire même que Dieu crée et qu'il dit en la créant. Les discours des *Actes* sont dans la même ligne : ils sont le signe que Jésus ressuscité continue à parler, sous un autre mode et par d'autres voix. La preuve, c'est que ces voix s'élèvent aux lieux mêmes où Jésus parlait, sous les colonnades du Temple, devant le Sanhédrin et les tribunaux, au cœur de la communauté rassemblée.

Si ces discours sont ainsi des événements, il est difficile de n'y voir que des créations littéraires gratuites, des procédés d'écrivain. Assurément, rien ne nous permet d'y voir une transcription, même approximative, des propos tenus par les personnages en scène, et il serait vain de prétendre fixer les lieux et les dates. Mais une chose est sûre : en faisant parler l'Église et ses dirigeants, les *Actes* expriment une réalité incontestable : c'est un fait certain que l'Église a parlé, qu'elle a parlé dès qu'elle est née, qu'elle a parlé à travers des porte-parole, et que ceux-ci ont laissé des traces de leurs paroles. Et c'est un fait également certain que toutes ces paroles ont toujours eu pour objet la personne de Jésus et l'action que Dieu lui avait donné de jouer dans l'humanité. Aussi artificiels qu'on les suppose, les discours des *Actes* sont vrais au sens le plus profond : ils font dire à Pierre, à Étienne et à Paul ce que disait l'Église, ce qu'ils ont réellement voulu dire.

LES DISCOURS MISSIONNAIRES : ORIGINES

Certains historiens vont plus loin et sont portés à croire que ces discours reproduisent un modèle très ancien d'annonce évangélique. La fixité du schéma de base, sous les variantes adaptées aux circonstances, l'aspect archaïque des titres donnés à Jésus (pierre angulaire, Juste, Serviteur), le contraste entre cette multiplicité tâtonnante et la rigueur du langage de l'évangile de Luc sur Jésus Christ Fils de Dieu, l'absence quasi totale des thèmes de Paul et de sa théologie, l'accent porté de façon presque exclusive sur l'action de Dieu non seulement dans la résurrection mais dans toute la vie de Jésus, le besoin de justifier le scandale d'un Messie mis à mort par les dirigeants juifs, tous ces traits paraissent trouver leur place naturelle dans les premières années de la communauté chrétienne en Palestine, et dans le langage typique de la première prédication dans l'Église. Successivement C. H. Dodd, J. Schmitt et J. Dupont mettent en valeur l'importance de ces données et le caractère primitif de ces discours.

A quoi d'autres, U. Wilckens, H. Conzelmann, répliquent en insistant au contraire sur l'aspect typiquement lucanien de ces discours[1]. La multiplication des titres, dès avant la

---

1. C. H. Dodd, *La prédication apostolique et ses développements*, Paris, Éd. Universitaires, 1964; J. Schmitt, *Jésus ressuscité dans la prédication apostolique*, Gabalda, 1949; Id., « Prédication apostolique » dans *Supplément au Dictionnaire de la Bible*,

résurrection, répond à une tendance, constante chez Luc, à atténuer le caractère singulier et proprement unique de la mort de Jésus, en faisant remonter le salut qu'apporte celui-ci à son entrée dans le monde. Alors que l'expérience initiale de la résurrection de Jésus détermine d'abord, chez ses disciples, l'attente de sa venue toute proche, le temps qui se prolonge sans qu'on le voie paraître donne naissance à des théologies faites pour expliquer ce retard. Tandis que Jean le mystique, bloquant les temps, fait coïncider la venue attendue de Jésus avec l'expérience de la vie nouvelle au cœur des croyants, Luc au contraire, en historien, donne toute sa valeur au temps qui passe et produit son effet. A partir de l'événement initial, la mort et la résurrection de Jésus, point de départ de la foi, Luc construit une histoire où la durée prend un sens, d'abord dans le passé, avec les siècles d'attente et de préparation, puis avec Jésus, dont l'existence se déroule comme une histoire avec ses débuts, ses péripéties et son terme, à l'heure où, sa tâche achevée, il est « enlevé au ciel » par la puissance de Dieu (Lc 9, 51 ; 24, 51). Au temps de Jésus succède alors celui de l'Église, qui est moins un nouvel âge de salut que le prolongement, chez les chrétiens et dans le monde, de l'œuvre exercée par Dieu en Jésus, la croissance et l'expansion de sa Parole. Le message de l'Évangile apporté par Jésus devient l'annonce du salut porté à tous les peuples.

Ce sens de la durée et de la continuité, de la croissance et de l'achèvement, si propre à Luc, se traduit dans les discours missionnaires par le rappel constant d'un développement historique, mais aussi par le besoin d'étaler dans le temps, soit avant, soit après la résurrection, les mêmes types d'action, les mêmes noms, le même personnage. On est ici très loin de la première expérience chrétienne : l'événement de la mort tend à s'estomper derrière la vision du Christ exalté, l'espérance de sa venue ne tient plus qu'une place minime

---

VIII, cc. 246-273 ; J. Dupont, *Études sur les Actes des Apôtres*, pp. 133-155 ; 289-327 ; 385-416 ; Id., « Les discours de Pierre dans les *Actes* et le chapitre XXIV de l'évangile de Luc », dans F. Neirynck (édit.), *L'évangile de Luc. Problèmes littéraires et théologiques*, Gembloux, Mémorial Lucien Cerfaux, 1973, pp. 329-362.

(Ac 3, 20), et le temps de l'Église, plutôt que celui de l'attente, devient celui où se vérifie l'accomplissement des promesses. Ce « précatholicisme », où l'on décèle parfois comme le péché originel de Luc, empêche de voir dans ses discours des témoins sérieux de la foi naissante.

Entre cette défiance, trop systématique pour être toujours lucide, et une confiance sans réserve dans le caractère primitif et originel des discours missionnaires, il faut sans doute garder l'équilibre. Il est probable qu'à des éléments archaïques, en particulier dans le langage, se mêlent des apports et des courants divers, auxquels l'auteur a donné la marque si forte de son style et de son horizon. Le trait le plus surprenant est l'absence, dans une œuvre tardive, des perspectives pauliniennes. Y voir une volonté délibérée chez l'auteur de retrouver le climat original des premières communautés, avant le passage du grand missionnaire, serait un anachronisme téméraire. Si conscient qu'il soit de ses buts et de ses moyens, Luc n'est pas un moderne, et il ignore nos préoccupations critiques. On est sans doute plus près de la vérité en observant que, sans ignorer la théologie paulinienne et la justification par la foi (Ac 13, 38; 15, 9; cf. Rm 3, 21-31), son propos demeure avant tout celui d'un historien et d'un évangéliste, d'un enquêteur et d'un narrateur. Si la théologie des discours des *Actes* est plus archaïque que celle de son évangile, ce n'est pas le souci de recomposer une atmosphère disparue, c'est plutôt sans doute que, dans les communautés de son temps, il retrouvait, surtout dans la tradition liturgique, un langage manifestement ancien mais demeuré en usage.

En somme, s'il est raisonnable de voir dans les discours missionnaires des compositions soigneusement étudiées par l'auteur des *Actes*, et porteuses d'intentions précises, il n'est certainement pas interdit d'y chercher un écho authentique de la foi des premières générations chrétiennes.

LES DISCOURS MISSIONNAIRES : SITUATIONS ET PERSONNAGES

Ces discours sont tous semblables, et parfois même parallèles. En des termes variés, mais très proches, ils répètent tous le même message : vous avez mis à mort Jésus, Dieu l'a ressuscité pour que vous croyiez en lui et trouviez le salut. Mais ce message, le même partout, jaillit de circonstances différentes. A la Pentecôte (chap. 2), il est fait pour expliquer l'événement qui agite Jérusalem : des disciples de Jésus circulent dans la ville, répandant leur enthousiasme, et ces Galiléens se font comprendre de gens qui ne savent pas leur langue. Au chap. 3, la guérison de l'infirme de la Belle-Porte attire dans le Temple une foule stupéfaite. Au chap. 4, la police, attirée par l'attroupement, est venue se saisir de Pierre et de Jean, et ceux-ci, après une nuit de prison, comparaissent devant les grands prêtres et le Sanhédrin. Dans le même temps, la communauté rassemblée prie pour leur fidélité. Au chap. 5, pour avoir continué à parler de Jésus, malgré l'interdiction du Conseil, Pierre se retrouve devant lui, en compagnie des Onze, et subira avec eux la flagellation. En chaque cas, c'est un geste né de la foi, tantôt l'enthousiasme ou la compassion, tantôt le courage ou la fidélité, qui fait signe aux gens et attire leur attention; et chaque fois, d'un geste un peu marquant mais d'importance modeste, Pierre donne la même explication, et tire la même conclusion. Ce signe est fait pour vous; il est la preuve d'un événement immense et unique : en Jésus, Dieu accomplit toutes ses promesses, il vous donne le pardon et le salut. Le discours du chap. 10, dans la maison de Corneille à Césarée, part également d'un signe, plus exactement de la convergence de deux signes, la vision de Pierre à Joppé et la vision de Corneille à Césarée. A nouveau, Pierre rattache ces deux expériences personnelles à l'événement Jésus dans sa totalité. Dans la synagogue d'Antioche de Pisidie (chap. 13), l'auditoire est rassemblé sans qu'il y ait eu besoin de signes, et Paul lui-même, avec sa flamme, son génie et son humanité, pose à tous une question. Et la seule question qui l'intéresse, c'est la même que chez Pierre à Jérusalem ou à Césarée : tout ce que vous demandez à votre loi, Dieu vous le donne en Jésus[1].

Il y a toujours la même séquence : un signe surprenant et bienfaisant, à la fois modeste et humainement inexplicable, une parole pour l'expliquer à partir de l'événement unique et définitif : Jésus, sa vie, sa mort et sa résurrection. Plus d'une fois, le signe à lui seul renvoie déjà à la personne de Jésus : la guérison de l'infirme à la Belle-Porte (Ac 3, 6.9; cf. Lc 5, 24-26), le courage de Pierre interrogé par Hanne et Caïphe en présence du tribunal qui avait condamné Jésus tandis qu'à quelques pas son disciple le reniait (Ac 4, 6.13; cf. Lc 22, 54-71). Il y a maintenant continuité visible entre les gestes du Seigneur et ceux des siens. Mais il faut que la parole donne la raison de cette continuité inattendue : Dieu a ressuscité Jésus et donne son Esprit à ceux qui croient en son Nom.

Autant que les situations, les personnages sont signifiants. Pierre et ses compagnons sont « des gens quelconques », des Galiléens sans culture et sans instruction (Ac 2, 7; 4, 13). Les voici qui prennent la parole en public et interpellent directement « tous les habitants de Jérusalem » (2, 14), « toute la maison d'Israël » (2, 36). Tel est désormais leur auditoire, et il est logique que Pierre, comme naguère Jésus, s'installe sous le Portique de Salomon et prenne la parole comme s'il était chez lui dans cette enceinte. Logique aussi que cette initiative, comme celles de Jésus, s'achève dans les prisons du Sanhédrin, devant les grands prêtres et les anciens (4, 6.9).

Ce qui frappe ici, autant que l'aspect dramatique de ces affrontements, c'est d'abord leur caractère officiel. Pierre et ses compagnons ont affaire à la ville de Jérusalem, au peuple d'Israël comme s'il était rassemblé dans son Temple, aux chefs de ce peuple réunis en conseil. Ce n'est pas le grossissement d'un narrateur qui s'abandonne à sa verve : c'est le

---

1. A partir de *Ac* 13, l'étude de M. Dumais, *Le langage de l'évangélisation. L'annonce missionnaire en milieu juif* (Recherches 16, Théologie), Paris-Tournai-Montréal, 1975, éclaire toute la série des discours.

propos calculé d'un historien qui veut faire comprendre les faits qu'il raconte. Même si tous les Juifs sont loin d'être là, Israël est présent tout entier, parce que le message des Douze lui est adressé, parce que l'événement annoncé est celui même pour lequel ce peuple a été créé et choisi par Dieu. C'est pourquoi Pierre et ses compagnons, comme avant eux tous les prophètes, se présentent devant leur peuple sans se séparer de lui, sans prétendre lui offrir une voie particulière. Ils ne fondent pas une secte, un mouvement de purification ou de réforme; ils appellent tout Israël à répondre à sa vocation, à accueillir Jésus son Messie. Eux-mêmes, s'ils constituent un groupe distinct autour de ses pratiques propres, « l'enseignement des apôtres... la fraction du pain » (Ac 2, 42), l'initiation baptismale (2, 41), ne posent pas ces pratiques comme une façon de sortir d'Israël, mais au contraire, en « se sauvant de cette génération dévoyée », comme jadis celle de l'Exode (Ac 2, 40; cf. Dt 32, 5.20), d'entrer dans la Nouvelle Alliance et de recevoir l'Esprit promis par Dieu à son peuple.

LES DISCOURS MISSIONNAIRES : UN DISCOURS SUR JÉSUS

Cette assurance extraordinaire qui dresse ainsi la minuscule communauté rassemblée autour du « Nom de Jésus » (Ac 2, 28; 3, 6.16) face au peuple juif tout entier, à ses chefs, à ses docteurs, à sa tradition, à ses espérances, repose uniquement sur l'événement Jésus, tel que ses disciples en font l'expérience, et qui est à la fois l'expérience de Jésus ressuscité et de l'Esprit reçu de lui. Cette expérience se traduit dans un discours radicalement nouveau, tant par rapport à celui de Jésus lui-même que par rapport à tous ceux de l'Ancien Testament.

Il y avait un discours propre de Jésus. Sans doute a-t-il subi quelques transformations, entre ses premières manifestations en Galilée, au moment où Jésus venait de quitter Jean-Baptiste, et ses dernières déclarations à Jérusalem, à l'heure où ses adversaires coalisés s'apprêtent à le supprimer. D'un bout à l'autre cependant, ce discours garde son unité, son thème central, l'annonce de l'événement qui vient, et qui vient à travers sa personne. Si le discours change d'accent, c'est que Jésus lui-même voit sa situation se modifier, et son action peu à peu prendre la forme de sa Passion proche. Jésus annonce l'événement tel qu'il le voit, il appelle son peuple à l'accueillir, il signifie sa présence imminente par sa façon de guérir et de pardonner, il cesse de parler à l'instant où lui-même, ayant achevé sa tâche, devient par sa mort l'événement qu'il attendait et que Dieu réalise en sa personne.

Ce discours de Jésus n'a pas été perdu. Il n'a pas non plus été conservé dans sa lettre et dans sa langue; il a été, au bout d'un certain temps, recueilli et traduit pour les communautés de langue grecque, et il est devenu nos évangiles. Mais il est hors de doute qu'avant d'être ainsi fixé dans des œuvres composées par des auteurs conscients de leurs buts, le discours de Jésus a été répété souvent dans les communautés, soit par paroles brèves, soit par morceaux plus étendus, sous la forme même de « paroles de Jésus » prononcées par lui et reproduites telles quelles. Qu'avec le temps et la diversité des langues et des situations, des variantes se soient introduites et transmises, cela est tout naturel, et ne porte pas atteinte à l'authenticité d'ensemble de ce « discours de Jésus »[1].

Mais le « discours sur Jésus » de la première partie des *Actes* est d'un genre tout différent. Ici Jésus ne parle pas lui-même, mais ses disciples, et ceux-ci parlent à la fois de lui et d'eux-mêmes, sans pouvoir isoler les deux thèmes. Ils parlent de lui dans son existence d'homme, tel qu'ils l'ont vu vivre au milieu d'eux; ils parlent de lui après sa mort, tel qu'ils l'ont vu paraître et disparaître à leurs yeux, ils parlent de lui dans l'état où il est aujourd'hui, tel qu'ils éprouvent son action et sa présence à travers leur propre existence, au cœur des communautés où ils vivent, de la parole qu'ils annoncent, des souffrances qu'ils endurent dans la joie pour son Nom (Ac 5, 41).

---

1. Cf. E. CHARPENTIER, *Des évangiles à l'Évangile* (« Croire et comprendre »), Centurion, 1976.

Il y a, dans ce discours des disciples de Jésus, quelque chose de radicalement neuf. Les prophètes d'Israël, en tout cas les plus grands d'entre eux, les plus attentifs à ne pas se laisser confondre avec les « fils de prophètes » ou « frères prophètes » qui se rassemblaient autour de certains sanctuaires (Am 7, 14; 1 S 10, 10; 1 R 20, 35; 2 R 2, 3), avaient des disciples. Même Élie le solitaire accueille Élisée en sa compagnie (2 R 2, 1) et le laisse l'accompagner jusqu'au dernier instant. Isaïe et Jérémie confient à leurs disciples le message dont ils sont chargés, pour qu'il reste après eux, consigné dans un écrit (Jr 36, 4.32), scellé comme un testament (Is 8, 16), inviolable (Is 8, 20). Les recueils qui portent le nom d'un prophète ont souvent dû être rédigés et composés par ses disciples. Même si ces hommes sont bien plus que des secrétaires compétents, même s'ils ont voué leur existence à la mémoire de leur maître, leur rôle et leur mérite sont dans la fidélité la plus exacte.

Les disciples de Jésus, eux, n'ont pas d'abord à reproduire mais à inventer. La priorité, sinon chronologique, du moins littéraire, des discours des *Actes* par rapport aux discours évangéliques, est une donnée essentielle du Nouveau Testament et de l'Église naissante. Avant de pouvoir redire les paroles et les enseignements de Jésus, il faut que ses disciples dressent devant les hommes la figure exacte et le rôle réel de leur Maître, il faut qu'ils mettent les derniers mots et le point final à cet Évangile que Jésus apportait au monde, qu'il avait laissé en suspens à l'instant de sa mort, et dont Dieu venait de leur confier la dernière page. C'est justement cette conclusion que contiennent les discours missionnaires des *Actes*. Or elle n'est pas l'œuvre de Jésus lui-même. Jésus ne ressuscite pas pour recommencer les gestes d'autrefois et compléter ce qui manquerait à son enseignement. Il revient pour confirmer par sa résurrection la vérité de tout ce qu'il avait dit avant de mourir, et pour envoyer les siens témoigner de l'événement. Les récits d'apparitions du Ressuscité, sous leur forme primitive, sont extrêmement brefs, et leur style n'est pas différent du récit évangélique. Ils expriment ainsi le caractère instantané et quasi insaisissable de l'expérience initiale du Ressuscité, que nul ne peut retenir (Lc 24, 31 ; Jn 20, 17). Au contraire, le discours sur la résurrection, qui prend forcément une certaine ampleur, est manifestement l'œuvre de l'Église, des disciples exprimant leur expérience et la situant dans leur foi. Il suppose un certain recul par rapport à l'événement. Non pas une distance prise, mais au contraire une attention plus maîtresse d'elle-même, un regard plus large et plus lucide. Ainsi s'explique que ce discours soit pratiquement absent des évangiles, sauf de celui de Luc, et qu'il tienne au contraire une place majeure dans les *Actes*. C'est là en effet son lieu propre, c'est là que les disciples jouent leur rôle de témoins en présentant aux hommes l'événement, tel qu'ils l'ont vécu sur le moment, et tel qu'ils le vivent maintenant.

Si les disciples de Jésus doivent inventer leur discours, alors que les disciples des prophètes n'avaient qu'à répéter celui de leurs maîtres, ce n'est pas que Jésus demande aux siens une moindre fidélité : c'est que l'expérience qu'il leur fait vivre est très différente de celle que vivaient les disciples des prophètes. Ceux-ci devaient seulement reproduire le plus exactement possible le discours de leurs maîtres, parce que ces derniers eux-mêmes n'étaient que des porteurs de la parole divine, et même si leur rôle comportait une part énorme d'initiative personnelle, il consistait d'abord à s'effacer derrière le message qui leur était confié. Et leurs disciples à leur tour, pour que l'origine divine de la parole garde tout son poids, ne pouvaient que disparaître derrière le nom de leur maître. Les disciples de Jésus, eux, sont d'abord ses témoins (Ac 1, 11.22 ; 2, 32 ; 3, 15 ; 4, 10 ; 5, 32 ; 10, 41 ; 13, 31). Ils ont partagé sa vie, ils l'ont vu agir et réagir, et ses paroles sont pour eux tout autre chose qu'un enseignement à répéter : elles sont l'expression d'un personnage vivant. Quand il meurt, elles meurent en quelque sorte avec lui, car toute leur vérité tenait à lui. Quand il ressuscite, c'est lui qui les ramène à la vie (Lc 24, 44). Être témoins de Jésus, c'est tout autre chose que de rapporter exactement ses paroles, c'est faire apparaître le rapport entre ses paroles et son existence, entre sa vie et sa mort, entre ce qu'il faisait et ce qu'il était, entre ce qu'il est et ce qu'il fait maintenant. Tout cela, c'est l'événement Jésus. Tout cela, Jésus lui-même ne l'a pas dit, pour ne pas réduire son œuvre à des mots, et ses disciples à de bons élèves. Tout cela, il faut que ses disciples le vivent, et inventent le moyen de le dire. Tout cela, c'est le discours des disciples, un discours qui doit être un témoignage, un geste avant d'être des mots, une expérience pour être une explication, un acte de foi pour être une annonce. Toutes ces conditions aident à comprendre la densité et la complexité des discours missionnaires.

LES DISCOURS MISSIONNAIRES : STRUCTURE

Le parallélisme évident entre les six discours missionnaires (et la prière de la communauté de Jérusalem pour les apôtres en Ac 4, 24-30) nous autorise, pour en comprendre la structure, à partir du plus riche et du plus significatif, le premier d'entre eux, celui que Pierre, le jour de la Pentecôte, adresse à « tous les habitants de Jérusalem » (Ac 2, 14-40). A part un trait, le rôle de la foi, que Luc semble réserver à la prédication hors de Jérusalem (Ac 10, 43 ; 13, 38 ; mais voir 3, 16), toutes les données des discours suivants sont présentes dans le premier, et peuvent trouver leur explication à partir de celui-ci.

Le discours est essentiellement la proclamation d'un événement. Cet événement comporte plusieurs faces. La plus extérieure, la plus frappante aux regards, c'est l'élan d'enthousiasme qui a lancé dans les rues de la ville des Galiléens naguère compagnons de Jésus et leur a donné de se faire comprendre de gens venus de partout. Mais ce phénomène, très modeste malgré tout, n'est que le signe d'un événement immense, vaste comme l'œuvre de Dieu : la venue du Saint Esprit sur tout le peuple d'Israël, l'accomplissement de toutes les promesses. Événement fait pour atteindre tout le peuple, événement de dimension cosmique et qui met en mouvement la création tout entière (2, 19-20).

Non, ces gens n'ont pas bu comme vous le supposez : 15
nous ne sommes en effet qu'à neuf heures du matin ;
mais il s'agit ici de ce qui est dit par le prophète Joël : 16

Il arrivera dans les derniers jours, dit Dieu, 17
que je répandrai de mon Esprit sur toute chair ;
vos fils et vos filles seront prophètes,
vos jeunes gens auront des visions,
vos vieillards auront des songes ;
oui, sur mes serviteurs et sur mes servantes, 18
en ces jours-là je répandrai de mon Esprit,
et ils seront prophètes.
Je ferai des prodiges là-haut dans le ciel 19
et des signes ici-bas sur la terre,
du sang, du feu et une colonne de fumée.
Le soleil se changera en ténèbres et la lune en sang 20
avant que vienne le jour du Seigneur,
le grand et glorieux jour,
et quiconque invoquera le nom du Seigneur sera sauvé. 21

On peut s'étonner que le rappel de l'Ancien Testament, avec la longue citation de Joël (3, 1-5), occupe une telle place dans le discours, et que l'auteur prenne tout ce temps avant d'en venir à ce qui nous paraît l'essentiel : l'événement Jésus proprement dit. Mais ce retard est au contraire normal et très instructif. Seule la certitude qu'il s'agit en effet d'un événement destiné à tout Israël peut justifier l'intervention de Pierre, sa façon d'interpeller « les hommes de Judée et tous les habitants de Jérusalem » (v. 14). Si l'événement n'intéresse pas tout le peuple, si par exemple il s'agit seulement de venir apporter une démonstration décisive de l'innocence de Jésus, la seule démarche qui s'impose est d'aller trouver ses juges et de faire rouvrir son procès. Ce qui serait déjà une affaire énorme. Mais Pierre va beaucoup plus loin : il met en cause tout Israël. Parce qu'en effet il s'agit bien de tout Israël et de l'événement décisif de son destin, la venue de son Messie. Car s'il est exact que le Messie promis au peuple juif est venu, le premier devoir de ceux qui sont au courant de l'événement est d'aller le dire à ce peuple. S'ils

n'y vont pas ils sont criminels, coupables à la fois devant le
Messie qui s'est manifesté à eux, et devant le peuple qui a
besoin de leur témoignage. Il y a un rapport étroit — qui
nous échappe souvent — entre la première partie du discours
(vv. 14-21) et la suite (vv. 22-40), entre l'événement messianique annoncé d'abord, et le personnage messianique révélé
ensuite en Jésus[1].

Cette révélation est décrite en deux temps fortement
contrastés, celui de l'existence terrestre (vv. 22-23), celui de
la résurrection (vv. 24-32) et de l'exaltation (vv. 33-36). Mais
il importe de regarder le texte de plus près.

Ce qui frappe d'abord, c'est son mouvement. Bien qu'il
comporte plusieurs phrases, et deux pauses assez nettes, enca-
drant une longue argumentation scripturaire (vv. 25-31), il
obéit d'un bout à l'autre au même élan initial :

Cet homme que Dieu avait accrédité auprès de vous   22
en opérant par lui des miracles, des prodiges et des signes
au milieu de vous, comme vous le savez,
cet homme, selon le plan bien arrêté et la prescience de Dieu,   23
vous l'avez livré et supprimé
en le faisant crucifier par la main des impies ;
mais Dieu l'a ressuscité en le délivrant des douleurs de la mort, 24
car il n'était pas possible que la mort le retienne en son pouvoir.

David en effet dit de lui :   25

> *Je voyais constamment le Seigneur devant moi,*
> *car il est à ma droite, pour que je ne sois pas ébranlé.*
> *Aussi mon cœur était-il dans la joie*   26
> *et ma langue a chanté d'allégresse.*
> *Bien mieux, ma chair reposera dans l'espérance,*
> *car tu n'abandonneras pas ma vie au séjour des morts*   27
> *et tu ne laisseras pas ton saint connaître la décomposition.*
> *Tu m'as montré les chemins de la vie,*
> *tu me rempliras de joie par ta présence.*   28

---

1. C'est pourquoi ce type de discours missionnaire reproduit naturellement le
modèle du commentaire juif du temps, le *midrash*. Cf. M. DUMAIS, *Le langage de
l'évangélisation*, pp. 67-250.

Frères, il est permis de vous le dire en toute liberté :   29
le patriarche David est mort, il a été enseveli,
son tombeau se trouve encore aujourd'hui chez nous.
Mais il était prophète et savait que Dieu   30
    lui avait juré par serment de faire asseoir sur son trône
    quelqu'un de sa descendance, issu de ses reins ;
il a donc vu d'avance la résurrection du Christ,   31
et c'est à son propos qu'il a dit :
    il n'a pas été abandonné au séjour des morts
    et sa chair n'a pas connu la décomposition.

Ce Jésus, Dieu l'a ressuscité, nous tous en sommes témoins.   32
Exalté par la droite de Dieu,   33
il a donc reçu du Père l'Esprit Saint promis et il l'a répandu,
comme vous le voyez et l'entendez.

David, qui n'est certes pas monté au ciel, a pourtant dit :   34
    Le Seigneur a dit à mon Seigneur :
    assieds-toi à ma droite
    jusqu'à ce que j'aie fait de tes adversaires   35
    un escabeau sous tes pieds.

Que toute la maison d'Israël le sache avec certitude :   36
Dieu l'a fait et Seigneur et Christ,
ce Jésus que vous aviez crucifié.

Quatre fois, deux fois avant le développement scripturaire et deux fois après lui, revient, comme un refrain, *cet homme... cet homme... ce Jésus... ce Jésus.* Chaque fois, le mot est complément de l'action décrite. D'un bout à l'autre il n'est question que de Jésus, et c'est son destin qui est ici retracé, mais Jésus y est toujours présenté en dépendance d'un autre. Dans un premier temps, cette dépendance vient directement de Dieu, qui opère à travers les gestes de Jésus (v. 22). Puis ce sont les hommes qui s'emparent de lui et le mettent à mort (v. 23). Dieu cependant n'était pas absent : il intervient dans sa puissance pour le ressusciter (v. 24). Après la citation et le commentaire du psaume 16, 8-11, le même mouvement reprend. Mais alors, les rôles sont inversés. C'est toujours Dieu qui conduit l'action, mais, pour la première fois, *Jésus* devient

sujet : il reçoit l'Esprit pour le répandre. Et les hommes
maintenant deviennent les bénéficiaires de ce don. Enfin,
la proclamation finale reprend en une seule phrase tout le
discours depuis son début : « Que toute la maison d'Israël
le sache » (v. 36 ; cf. vv. 14.22), et ramasse tout le mouvement
autour des trois personnages, *Dieu, Jésus* et *vous* (v. 36) : « Ce
Jésus que *vous* aviez crucifié, *Dieu* l'a fait et Seigneur et
Christ. »

Cette unité de mouvement, ce jeu si étroit entre les trois
personnages, se traduit, pour Jésus et pour les hommes, par
deux processus parallèles mais de sens inverse : il fait de
Jésus le Messie, et des hommes, les bénéficiaires de l'Esprit
Saint. Dans les deux cas, le changement est manifeste, mais
la continuité est parfaite : le même Jésus devient Messie, les
mêmes coupables reçoivent l'Esprit.

LA RÉVÉLATION DE JÉSUS MESSIE

Jésus est présenté sous des aspects divers, mais chacun d'eux
correspond à un moment précis de son itinéraire. Dans un
premier temps, l'accent porte sur ce qu'on voit de lui : un
homme, dont l'humanité est évidente et ne peut être soupçonnée, mais dont l'action manifeste bien plus que des phénomènes exceptionnels de puissance : un lien indiscutable
quoique impossible encore à préciser. Dieu l'accrédite pour
la mission qu'il lui confie. Dans le second temps, Dieu paraît
s'effacer et ce sont les hommes qui mènent le jeu. Temps des
complots, de la haine et de la cruauté, où Jésus est livré de
mains en mains, selon le thème qui traverse tous les récits
évangéliques de la Passion, jusqu'au supplice final. Derrière
tout cela, Dieu est présent pourtant. Non pas évidemment
pour faire fonctionner l'atroce machinerie, mais pour la faire
aboutir au point exact qu'il s'était fixé : ressusciter Jésus et
le délivrer de la mort.

Ce geste inouï n'a rien d'une improvisation, d'une invention

soudaine par quoi Dieu se tirerait d'une situation sans issue.
Elle est au contraire, pour Dieu, l'achèvement soigneusement
préparé d'un long dessein, et pour Jésus, le dénouement
naturel d'une aventure unique. Tel est le sens du long développement sur le psaume 16, sur lequel un lecteur moderne
est tenté de passer très vite, mais qui est irremplaçable dans
la marche de la pensée. Car il ne s'agit pas, sous l'effet d'une
mentalité enfantine, de prétendre retrouver miraculeusement,
dans un texte d'autrefois, la description inattendue de la
résurrection. Il s'agit de montrer à la fois ce qu'est Jésus et
ce que fait Dieu, ce que fait Dieu en Jésus. De montrer que
ce que Dieu fait est naturel et qu'il ne pouvait pas faire autre
chose, étant donné ce qu'il est et ce qu'est Jésus. Impossible
de démontrer que Jésus est le Messie si l'on ne prouve pas
qu'il est réellement le personnage que Dieu envoie à son
peuple, non pas à un moment ou à un autre de son histoire,
comme un prophète chargé d'une mission particulière, mais
au sommet de son histoire, pour lui donner d'accomplir sa
vocation dans le monde, de peuple de Dieu pour les nations.

C'est ce que fait le discours, dans un langage qui n'est pas
tout à fait le nôtre, mais qu'il faut comprendre. Deux données
du psaume sont capitales dans cette argumentation; elles
tiennent toutes deux dans le même vers : « Tu ne laisseras
pas ton saint connaître la décomposition » (v. 27, repris
au v. 31). Elles se tiennent en effet : celui que Dieu n'abandonne pas à la décomposition du tombeau n'est pas un fidèle
parmi d'autres, il se réclame d'un lien exceptionnel avec Dieu,
d'un titre que Dieu seul peut donner : « Ton saint. » Quel
homme oserait prétendre à ce titre, se proclamer « le saint
de Dieu » ? Là, justement, est la force du discours de Pierre :
Jésus a été ressuscité par Dieu parce qu'il était son saint, et
qu'à ce titre, il était impossible qu'il demeurât dans la mort
et sa corruption. Tel était le dessein de Dieu, et tel était aussi
le personnage Jésus. En ressuscitant intact, il montre qu'il
était dès avant sa mort celui qui ne pouvait pas connaître
la décomposition. Il y avait en lui, venant de son être même
et de sa vocation, quelque chose qui le rendait invulnérable
à la corruption de la mort. Destiné à mourir, il était déjà

vainqueur de la mort, mais il devait mourir pour que sa victoire fût totale.

Plus tard, les récits évangéliques, en particulier ceux de Luc et du dernier chapitre de Jean, insisteront sur les repas du Seigneur ressuscité, dans une atmosphère inimitable, simple et lumineuse, solennelle et familière. Ils voudront mettre en valeur un trait essentiel de la résurrection : Jésus ressuscité est le même qu'avant sa mort, aussi humain, aussi proche, plus familier peut-être. La résurrection, en le libérant des limites et des servitudes de notre monde, n'a rien changé à ce qu'il est réellement. Cette révélation, qui fut certainement une des surprises les plus déconcertantes pour les témoins, et qui a laissé dans les récits d'apparitions une trace inoubliable, elle est parfaitement nette déjà dans les formules de ces discours, et elle exprime une vérité essentielle : l'identité entre le Jésus terrestre et le Jésus ressuscité. La résurrection révèle qui était le crucifié : celui dont toute l'existence fut d'appartenir à Dieu et de s'abandonner entre ses mains.

Cette révélation ne change pas le personnage de Jésus, mais elle change sa relation aux hommes, elle fait de lui « le Seigneur et le Christ» (v. 36). Dans un discours aussi cohérent, aussi unifié, il est difficile de croire que ces termes n'aient pas été choisis à dessein. Ils paraissent en effet répondre de façon précise aux perspectives des deux premiers moments, avant la mort. Alors que Dieu présentait Jésus à Israël, en le dotant de pouvoirs exceptionnels et de titres significatifs où éclatait la confiance qu'il lui faisait, Israël avait répondu à cet appel par un refus catégorique, en mettant à mort l'envoyé de Dieu. Puisque, d'après Pierre, la réponse de Dieu à ce refus est de faire de Jésus le Messie d'Israël, il y a toutes les chances pour que le refus visé par le discours soit le refus de reconnaître Jésus Messie. Sans être absolument explicite, cette donnée paraît ressortir naturellement de l'opposition voulue : « Vous l'avez supprimé... Dieu l'a fait et Seigneur et Christ » (vv. 23.36).

Si la donnée n'est pas totalement explicite, c'est probablement parce qu'elle était évidente aux yeux de l'auteur et de ses lecteurs. Elle confirme un point fondamental de la

Passion selon les évangiles : Jésus a été condamné comme un faux Messie. Cela ressort des déclarations solennelles de Jésus devant Caïphe (Mt 26, 63-66; Mc 14, 61-64; Lc 22, 67-71). Cela ressort, d'une façon plus certaine parce que moins voulue, du motif de condamnation inscrit sur la croix : « Le roi des Juifs » (Mt 27, 29.37; Mc 15, 18.26; Lc 23, 38; Jn 19, 3.19-22). « Le roi des Juifs », c'est l'interprétation romaine, volontairement dérisoire, de la formule messianique inadmissible aux yeux du Sanhédrin « Le roi d'Israël ». Les Juifs ne peuvent tolérer que Jésus se présente comme le roi d'Israël, les Romains ne peuvent tolérer qu'un Juif se prétende roi. Pour les Romains, c'est un crime de lèse-majesté, pour les Juifs, c'est un blasphème. Il est vrai que bien des auteurs ne pensent pas qu'une déclaration messianique ait été de soi blasphématoire. C'est sans doute donner trop d'attention aux mots, et pas assez à la situation concrète. De soi, il est exact qu'un prétendant pouvait se déclarer Messie sans être accusé de blasphème. Tout dépendait de sa façon de se présenter et de la figure qu'il prenait en se déclarant. La figure du Messie n'était pas tracée d'avance : chacun l'imaginait selon ses propres rêves. Quand le prétendant Jésus lie sa revendication messianique à Dieu d'une façon si étroite qu'il vient poser en Israël les gestes de Dieu lui-même, il n'y a qu'un choix possible : ou l'accueillir tel qu'il se présente, avec le Dieu qu'il affirme représenter, ou le rejeter comme blasphémateur, au nom du Dieu qu'il caricature. De fait le discours de Pierre repose sur la qualité messianique de Jésus, rejetée par les dirigeants juifs, confirmée par la résurrection. Parce que Jésus a été mis à mort comme Messie prétendant, sa résurrection révèle en lui le Messie intronisé. Mais quand on a refusé le Messie prétendant au nom de la Loi juive et de la tradition religieuse, parce que Jésus proposait de Dieu et de sa volonté un visage intolérable, accueillir le Messie intronisé, c'est du même coup accepter une autre figure de Jésus, la véritable figure de Dieu : c'est se convertir.

LA RÉVÉLATION DU PARDON

« Convertissez-vous », c'est la première réponse que donne Pierre aux auditeurs atteints par sa parole. « Convertissez-vous; que chacun de vous reçoive le baptême pour le pardon de ses péchés, et vous recevrez le don du Saint Esprit » (2, 38). En trois mots, une description pratiquement complète de ce qu'était à ce moment, pour les Juifs de Palestine, l'adhésion au Christ. Le baptême et la constitution de l'Église demeurant hors de notre propos, bornons-nous aux affirmations fondamentales : la conversion et le pardon. Nous retrouvons ici l'axe même du discours, entendu cette fois du point de vue des hommes. Car la révélation de Jésus s'est opérée devant les hommes et pour eux. L'événement Jésus a été un événement pour lui, mais il signifie aussi un événement pour les hommes. Cet événement, c'est le pardon de Dieu.

A vrai dire, cette affirmation peut surprendre. A entendre se dérouler le discours, à laisser retentir les déclarations provocantes, Dieu l'a accrédité... vous l'avez livré... Dieu l'a ressuscité, on aurait plutôt l'impression d'une dénonciation violente, à la manière des grands prophètes, s'achevant sur des menaces redoutables. Et l'on peut s'étonner du brusque changement de ton : faites-vous baptiser, vous recevrez le Saint Esprit. Faudrait-il attribuer cette rupture d'accent à une faille dans le développement, au heurt de deux documents d'inspiration opposée ?

Des hypothèses de ce genre sont admissibles, et il peut arriver qu'elles s'imposent. Ici pourtant, rien n'est moins probable, et l'on doit au contraire relever la cohérence profonde du développement. Elle apparaît à la fois dans la forme extérieure du discours, et dans son contenu.

Par sa forme, par un bon nombre de traits, le discours rappelle les discours prophétiques les plus menaçants. Cette façon d'aligner face à face les générosités de Dieu et les péchés

de l'homme, c'est une démarche habituelle des prophètes.
Voici Nathan devant David :

> *C'est moi qui t'ai oint comme roi d'Israël*
> *et c'est moi qui t'ai arraché de la main de Saül.*
> *Je t'ai donné la maison de ton maître*
> *et j'ai mis dans tes bras les femmes de ton maître.*
> *Je t'ai donné la maison d'Israël et de Juda,*
> *et si c'est trop peu, j'y ajouterai tant et plus.*
>
> *Tu as frappé de l'épée Urie le Hittite,*
> *tu as pris sa femme pour en faire ta femme,*
> *et lui-même, tu l'as tué par l'épée des fils d'Ammon.*
>
> 2 S 12, 7-9.

Mais la conclusion normale de ces comparaisons, celle
qu'on retrouve presque à chaque page des prophètes, au
point de devenir un procédé, c'est que Dieu va faire retomber
sur le pécheur le mal qu'il a commis :

> *C'est pourquoi l'épée ne s'écartera jamais plus de ta maison.*
> . . . .
> *Voici que je vais faire surgir ton malheur de ta propre maison,*
> *Je prendrai tes femmes sous tes yeux*
> *et je les donnerai à un autre.*
>
> 2 S 12, 10-11.

Jésus lui-même connaît ce *c'est pourquoi* sinistre, quand, à
bout de ressources, il doit recourir aux menaces suprêmes :

> *Malheur à vous, scribes et pharisiens hypocrites !*
> . . . .
> *Vous comblez la mesure de vos pères !*
> . . . .
> *C'est pourquoi voici que moi, j'envoie vers vous*
> *des prophètes, des sages et des scribes*
> . . . .
> *pour que retombe sur vous tout le sang des justes*
> *répandu sur la terre,*
> *depuis le sang d'Abel le juste*
> *jusqu'au sang de Zacharie fils de Barachie,*
> *que vous avez assassiné entre le sanctuaire et l'autel.*
>
> Mt 23, 29-35; cf. 21, 43.

Ici au contraire, alors que justement grands-prêtres et anciens, scribes et pharisiens coalisés viennent de « combler la mesure de leurs pères » et de répandre un sang plus pur infiniment que celui d'Abel, en mettant à mort « le Saint et le Juste » (Ac 3, 14), voici qu'au lieu de la catastrophe annoncée retentit l'appel à la conversion. Non pas que la menace ait disparu et que les paroles de Jésus aient soudain perdu leur gravité : la génération qui a fait périr l'Innocent est toujours « la génération dévoyée » (Ac 2, 40), exclue du salut et de la Terre promise. Mais il reste possible, à ceux précisément qui se sont rendus coupables du crime, de « se sauver de cette génération » (2, 40), en se faisant à leur tour disciples de celui qu'ils ont mis à mort et en rejoignant le groupe des siens.

Pour saisir la différence entre une accusation classique s'achevant sur la menace, et l'accusation de Pierre se terminant sur un appel au pardon, il suffit de comparer, dans le même livre des *Actes*, les discours de Pierre et celui d'Étienne. En soi, le péché commis par la génération contemporaine de Jésus est autrement plus grave que toutes les fautes qui avaient jalonné l'histoire d'Israël. Et pourtant, après avoir décrit ce péché sans les ménager, Pierre s'adresse aux coupables pour les exhorter au repentir. Étienne, lui, après avoir longuement fait défiler, à la manière de Jérémie ou d'Ezéchiel, d'un côté les dons de Dieu à son peuple, de l'autre l'ingratitude de celui-ci, termine son réquisitoire sur le même ton :

> *Hommes au cou raide, incirconcis de cœur et d'oreille, toujours vous résistez à l'Esprit Saint ; vous êtes bien comme vos pères. Lequel des prophètes vos pères n'ont-ils pas persécuté ? Ils ont même tué ceux qui annonçaient d'avance la venue du Juste, celui-là même que maintenant vous avez trahi et assassiné. Vous aviez reçu la loi promulguée par des anges et vous ne l'avez pas observée.*

Ac 7, 51-53.

On retrouve dans ce morceau plus d'un trait des discours de Pierre. Et ceux-ci en somme ne disent pas autre chose. Mais le discours d'Étienne s'arrête sur ces mots, sans qu'on sache quelle conclusion ils appellent : un verdict de condamnation à la manière des prophètes, ou une promesse de pardon, à la manière de Pierre. Tout ce que l'on peut dire, c'est qu'Étienne pour son compte meurt, à l'exemple de Jésus, en appelant sur ses meurtriers le pardon de Dieu : « Seigneur, ne leur compte pas ce péché » (7, 60; cf. Lc 23, 46).

Puisque les responsables directs de la mort de Jésus sont ainsi solennellement appelés à se convertir, c'est la preuve que cette mort, qui aurait dû normalement déchaîner la colère de Dieu sur les coupables, marque au contraire le moment décisif de sa miséricorde. Le discours de Pierre ne cède pas à l'indulgence; il ne cherche pas à atténuer les responsabilités. Sa force est au contraire, après les avoir mises en pleine lumière, de montrer que Dieu, à l'heure même où le peuple qu'il s'était choisi rejetait le Messie qu'il lui envoyait, profite, si l'on ose dire, de cette rupture par elle-même irrémédiable, pour signifier qu'au contraire il pardonne et que tout est possible à ceux qui reconnaîtront maintenant qui était Jésus.

La force de cet appel et de ce discours, c'est que la parole et l'action y sont inséparables. Il n'utilise pas les formules plus synthétiques, plus chargées d'intelligence, « mort pour vous, pour vos péchés », mais il dit au fond la même chose. Car comment expliquer que le péché des hommes, mettant à mort le Messie, déclenche ainsi la miséricorde de Dieu, sinon justement à partir de la mort du Messie, de sa façon de mourir et de pardonner ? Cela n'est pas dit dans le discours, cela n'est pas exprimé dans des mots, et il y a bien des chances pour que ce silence, cette absence de recul intellectuel, soit un signe précieux d'archaïsme. Mais ce que Pierre ne dit pas, il le fait : lui, le compagnon de Jésus, l'ami d'hier et d'aujourd'hui, il a fait pour son propre compte et devant témoins la preuve de sa propre faiblesse et de la fidélité de son maître, il a le premier fait l'expérience du pardon de Jésus. Ses ennemis, ceux qui ne le connaissaient pas, l'ont livré; ses amis, ceux qui le connaissaient depuis si longtemps, l'ont lâché et renié. Lesquels ont le plus besoin d'être pardonnés ? La chose certaine, c'est que Pierre et les Douze ne peuvent annoncer le pardon de Dieu aux gens de Jérusalem que pour l'avoir d'abord reçu.

C'est pourquoi le « nous tous en sommes témoins » (2, 32) constitue finalement la seule preuve que puissent apporter les prédicateurs de la résurrection. C'est pourquoi aussi on la retrouve à la même place en presque tous ces discours (2, 32; 3, 15; 5, 32; 10, 41; 13, 31). Témoins, cela ne peut signifier que les disciples, de par l'indépendance de leur situation, la qualité de leur jugement, la force de leur caractère, méritent d'être crus sur parole. Ils sont au contraire visiblement attachés à Jésus et foncièrement faibles, suspects de se laisser influencer dans tous les sens, à la fois par la peur et la sympathie. S'ils osent témoigner de quelque chose, c'est sans doute de ce qu'ils ont vu et n'ont pas inventé, mais c'est surtout de ce que leur a apporté la rencontre du Ressuscité : l'assurance d'être pardonnés, la certitude que celui qui est venu leur rendre son amitié et sa confiance peut maintenant les rendre capables du témoignage qu'il attend d'eux. Témoins non pas par la sûreté de leur regard ou la force de leur caractère, témoins au contraire de leur propre faiblesse et de la force de Dieu. Seul ce témoignage est susceptible de faire naître la foi, parce que seul il vient de Dieu. Si les apôtres avaient été des témoins au-dessus de tout soupçon, le christianisme fondé sur leur témoignage ne serait qu'une construction de l'homme.

LA RÉVÉLATION DE L'ESPRIT

Si Pierre peut ainsi promettre aux meurtriers de Jésus le pardon de Dieu, ce n'est pas seulement parce que lui-même, pécheur comme eux, a reçu le pardon de son Maître. S'il n'avait à leur fournir que cette expérience, sans doute leur donnerait-il un signe impressionnant, mais de quel droit conclure de cette preuve d'affection personnelle au pardon généralisé offert à tous ? On ne dépasse pas sur cette voie le *peut-être* des prophètes. Et ce n'est pas sur son cas ou celui de ses compagnons que Pierre fonde son appel. C'est sur une expérience nouvelle, et qui en son essence est faite pour être renouvelée, celle de l'Esprit Saint : « Convertissez-vous; que chacun de vous reçoive le baptême pour la rémission de ses péchés, et vous recevrez le don du Saint Esprit » (2, 38).

Des trois moments présentés, la conversion, le baptême et le don du Saint Esprit, le plus important est à coup sûr le dernier. Les deux précédents ne sont que des conditions nécessaires, et resteraient sans intérêt, n'était le don de l'Esprit. Les deux premiers sont l'affaire de l'homme : il ne tient qu'aux gens de Jérusalem de rompre avec l'attitude qu'ils ont prise face à Jésus et de venir rejoindre le parti de ses disciples. Alors, ils feront l'expérience impossible à décrire du dehors : le don de l'Esprit. Parce qu'ils ont fait, en l'absence visible de Jésus, mais en dépendance de Jésus ressuscité, l'expérience de l'Esprit, les disciples peuvent appeler tout Israël, et bientôt tout homme, à vivre avec eux la même expérience.

Il n'est pas facile de décrire de manière précise ce que fut, dans la première communauté chrétienne, l'expérience initiale de l'Esprit. Les récits des *Actes* gardent un caractère très schématique, et portent certainement la marque de situations postérieures. Le don des langues en particulier est décrit de deux façons sensiblement différentes en 2, 4 et en 2, 7-8. Selon 2, 4, « ils furent tous remplis d'Esprit Saint et se mirent à parler d'autres langues, selon que l'Esprit leur donnait de s'exprimer ». Ce phénomène, où celui qui s'exprime parle une langue qu'il ne connaît pas, semble s'apparenter à celui que décrit Paul en 1 Co 14, 2 : « Celui qui parle en langues ne parle pas aux hommes mais à Dieu. » Mais en Ac 2, 7-8, « tous ces gens qui parlent sont Galiléens... et pourtant chacun les entend dans sa langue maternelle ». A l'inverse de la « glossolalie » qui doit être pratiquée avec une grande discrétion, parce qu'elle n'établit pas de communication entre celui qui parle et ceux qui l'entourent (1 Co 14, 27-28), les « langues » de la Pentecôte sont avant tout un moyen de communication et d'unanimité. Ce trait essentiel, beaucoup plus que les phénomènes exceptionnels, domine les premières pages des *Actes*. Le même Esprit, qu'il apparaisse reçu simultanément par tout un groupe (2, 4; 4, 31; 8, 17; 10, 44) ou qu'il fasse faire, sur des points différents, des gestes identiques (10, 46-47; 11, 15), suscite toujours compréhension fraternelle et communion.

Un autre aspect, non moins décisif mais peut-être moins étonnant quand on se rappelle l'expérience et la promesse de l'Esprit dans l'Ancien Testament, c'est la spontanéité sainte et tournée vers Dieu, que crée l'Esprit chez ceux qu'il vient saisir. Liberté toute neuve, de parler directement à Dieu, de dire ses merveilles (Ac 2, 11; 10, 46), sans se laisser impressionner par l'étonnement des gens (2, 12) ou les menaces des autorités (4, 8.31). L'expérience n'est jamais décrite de l'intérieur, mais toujours à travers ses effets. Tous ces effets cependant, la joie, l'assurance, la force, la liberté devant Dieu et devant les hommes, expriment une transformation profonde des cœurs, la naissance d'un être nouveau. Cette transformation ne peut venir que d'en haut : aucune influence humaine, aucun exemple, aucune pédagogie, qu'elle soit librement acceptée ou imposée de force, ne peut produire ces résultats. Dieu ici agit immédiatement au cœur de sa créature. C'est pourquoi Pierre, après avoir indiqué à ses auditeurs les gestes qu'ils peuvent faire, se convertir, et ceux que peut faire pour eux la communauté croyante, les baptiser — Pierre laisse Dieu lui-même accomplir le geste décisif qui ne dépend que de lui : « Vous recevrez le don du Saint Esprit. » Plus qu'une promesse pour l'avenir, c'est une garantie, l'assurance que ce don est déjà tout prêt. La seule condition est d'adhérer à Jésus, de rejoindre ceux que rassemble son nom.

Ce lien entre la conversion à Jésus, l'adhésion à sa communauté, et le don du Saint Esprit, qui fait la conclusion du discours de Pierre, repose sur l'événement même qu'il s'agissait d'expliquer : « (Ce Jésus) a reçu du Père l'Esprit Saint promis, et il l'a répandu, comme vous le voyez et l'entendez » (2, 33). Jésus, l'Esprit, les hommes, Dieu, ces quatre figures, si l'on ose ainsi parler, se retrouvent dans la même situation aux vv. 33 et 38. En 33, ce sont les disciples de Jésus : choisis par lui avant sa mort, puis rassemblés par sa résurrection, ils sont en train d'expérimenter une forme nouvelle de sa puissance et de sa présence, l'Esprit Saint. Cet Esprit est celui de Dieu, car Dieu seul peut animer de l'intérieur l'esprit de l'homme. Cet Esprit est également celui de Jésus, car c'est lui qui naguère produisait en Jésus des gestes divins, et qui, maintenant, donne aux disciples de les reproduire. Même jeu au v. 38 et même disposition : il s'agit de devenir disciple de Jésus pour recevoir de lui l'Esprit qu'il tient de Dieu.

Pour les disciples, il y a un lien évident entre l'événement de la résurrection et l'expérience qu'ils font de l'Esprit, entre Jésus et l'Esprit de Dieu. D'où leur vient cette évidence ? — Tout simplement, dira-t-on, de ce que Jésus lui-même les avait prévenus, avant de les quitter, qu'il leur enverrait l'Esprit. C'est un thème essentiel des discours d'adieux, tant selon la tradition synoptique (Mc 13, 9-11) que selon l'évangile de Jean (Jn 16, 1-15). Mais nous avons besoin de savoir ce qu'il y a derrière ces mots. Ils n'ont pas été transmis sous cette forme elliptique, comme des messages d'agents secrets. Ils véhiculent une expérience : est-il possible de la ressaisir ?

Il semble qu'on puisse au moins faire apparaître une cohérence profonde à travers la tradition évangélique et celle des *Actes*. Le lien entre Jésus et l'Esprit, thème capital du récit et du discours de la Pentecôte dans les *Actes*, remonte très haut dans les évangiles. Non seulement, sous une forme explicite et visible, dans l'épisode du baptême où Jésus, dans sa personnalité et son action, apparaît saisi et habité par l'Esprit. Mais, sans que le texte le souligne, tout au long de son existence et de son action. Dans ses gestes de puissance, toujours posés au nom de Dieu, dans sa parole, toujours fixée sur Dieu et sa volonté, surtout peut-être dans sa façon de pardonner les péchés, d'apporter aux hommes le pardon de Dieu. Car c'est Jésus qui pardonne, c'est lui qui se met en route pour aller trouver les pécheurs, qui accueille les publicains et les prostituées, qui mange à leur table et les donne en exemple. Or il est impossible qu'il fasse cela tout seul. « Dieu seul peut pardonner les péchés » (Mc 2, 7). Si Jésus peut dire « tes péchés sont pardonnés » (Mc 2, 5.9), c'est donc qu'il est avec Dieu, qu'il sait ce que Dieu est en train de faire, qu'il fait les gestes mêmes de Dieu. Autrement dit, qu'il a l'Esprit de Dieu et que, dans cet Esprit, il pose sur la terre les gestes décisifs qu'Israël attendait : la Nouvelle Alliance et le pardon des péchés (Jr 31, 31; Ez 36, 25-27; 37, 25-26).

Quand Jésus ressuscité vient retrouver les siens, quand il vient leur montrer qu'il est le même et que rien en lui n'a changé avec la résurrection, c'est vrai de ce qu'il paraissait au dehors, de sa voix, de son regard. Mais c'est vrai surtout de ce qui faisait le fond de son être et de sa mission. Mis à mort pour avoir apporté aux pécheurs le pardon de Dieu, pour les avoir réintégrés dans la communauté des hommes, quand il ressuscite, c'est à nouveau pour pardonner, pour élargir son pardon, l'ouvrir à tous ses adversaires, à tout Israël. Celui qui avait transformé le cœur de la Samaritaine et de la pécheresse revient trouver Marie de Magdala, « de qui était sortis sept démons » (Lc 8, 2). Quand il vivait sur la terre, c'est sa parole qui atteignait les cœurs, mais sa parole était pleine de l'Esprit de Dieu. Maintenant qu'il est ressuscité, d'autres devront en son nom redire ses paroles, mais c'est lui toujours qui transformera les cœurs en les saisissant de son Esprit.

III

La théologie :
la personne de Jésus

Au point de départ et au terme du discours de la Pentecôte, il y a l'Esprit. C'est lui qui a mis en mouvement les disciples repliés sur leur peur; c'est lui dont Pierre annonce la venue en ceux qu'il exhorte à se convertir. Matériellement, cependant, l'Esprit ne tient, même dans ce discours, qu'une place réduite. Car l'Esprit n'est jamais visible, jamais saisissable : toujours il s'efface, derrière les effets qu'il produit, au secret des cœurs qu'il anime. Presque tout l'espace de ce discours est occupé par le comportement des hommes, avant et après la résurrection de Jésus. Mais le centre, le thème qui remplit tout le discours, c'est Jésus lui-même. L'événement qui s'y trouve décrit, c'est l'événement Jésus, sa vie, sa mort et sa résurrection. L'expérience à laquelle Pierre invite ses auditeurs, ils la connaîtront en rejoignant les disciples de Jésus.

Cette observation vaut peut-être davantage encore des autres discours missionnaires. Dans les plus développés comme dans les plus brefs, la phrase essentielle est toujours construite sur le même modèle, et elle décrit l'événement Jésus :

— *Jésus le Nazaréen, cet homme accrédité par Dieu... vous l'avez supprimé... mais Dieu l'a ressuscité.*

2, 22-32.

— *Jésus, que vous, vous aviez livré... Dieu l'a ressuscité des morts*

3, 13-15.

— *Par le nom de Jésus Christ le Nazaréen, crucifié par vous, ressuscité des morts par Dieu.*

4, 10.

— *Jésus, que vous aviez exécuté en le pendant au bois, Dieu l'a exalté par sa droite.*

5, 31.

— *Lui qu'ils ont supprimé en le pendant au bois, Dieu l'a ressuscité le troisième jour.*

10, 39-40.

— *La population de Jérusalem et ses chefs ont méconnu Jésus... ils ont demandé à Pilate de le faire périr... ils l'ont déposé dans un tombeau... Mais Dieu l'a ressuscité des morts.*

13, 27-30.

Dans ces formules si fortes, il y a déjà tout le mystère. Ce Jésus dont on parle, c'est d'abord l'homme qu'on a connu et rencontré, celui de Nazareth, des foules de Galilée, des affrontements de Jérusalem, des événements de Pâque. Ce n'est pas une figure secrète, un personnage surnaturel qui se serait révélé à un cercle d'initiés. C'est un homme dont la vie fut constamment publique, exposée à tous les regards. Cette vie s'est achevée par une mort tragique, qui fut un événement pour tout Jérusalem. L'homme qui n'avait fait partout que du bien est condamné et crucifié comme un criminel. Mais à ce moment tout change : Dieu intervient et le ressuscite. Geste mystérieux, invisible à tous les regards, impossible à démontrer, geste qui transforme le sens de cette aventure, geste qui révèle, entre Jésus et Dieu, un lien extraordinaire, unique. L'histoire commencée à Nazareth s'achève dans une rencontre divine, où tout semble échapper aux hommes, et que pourtant des hommes, des Galiléens eux aussi, prétendent rapporter à leur peuple.

Nous avons sans doute légèrement développé la signification des formules citées, qui ne sont pas explicites à ce point. Mais nous n'avons certainement pas faussé leur sens et leur orientation. Car, dans chacun de ces discours, la formule de base, la relation linéaire de l'événement, se trouve développée, d'une part, par quelques détails supplémentaires rappelant le déroulement des faits, mais surtout par une série de titres appliqués à Jésus à partir des Écritures d'Israël. Ces titres, on les trouve répartis sur tous les moments du schéma fondamental, soit avant la mort, soit au moment de la mort et de la résurrection, soit après la résurrection. Le tableau (p. 74) montre la répartition des titres dans les sept morceaux parallèles.

A première vue, ce tableau ne semble pas fournir d'indications décisives. S'il est naturel que l'événement Jésus se décompose en trois moments, il ressort que les titres donnés à Jésus se retrouvent à peu près tous dans chaque série. De *Fils* ou de *Juge* qui paraissent une fois chacun, on ne peut rien conclure. La seule donnée constante est que le *nom* ne figure jamais que dans la colonne C. On est tenté de penser que les titres sont employés un peu au hasard, et qu'il faut seulement se demander ce qu'ils devaient suggérer dans tel ou tel contexte.

Derrière ce désordre apparent, il semble pourtant qu'on puisse tirer davantage de ces textes, et que l'usage de ces titres réponde à une perspective cohérente. S'il est vrai que certains passent aisément d'une colonne à l'autre (Christ, Serviteur, Sauveur), tandis que d'autres paraissent réservés à la dernière colonne (Juge, nom), c'est que les premiers gardent leur valeur en chacun des trois temps, tandis que les seconds n'ont de place qu'au troisième. Sans perdre de vue les repères de temps, il faut les compléter par une autre perspective, et distinguer d'abord les titres qui désignent le rapport de Jésus à Dieu, et ceux qui visent son rôle à l'égard des hommes.

	A) AVANT	B) PASSION-RÉSURRECTION	C) APRÈS
I = 2, 14-36	Cet homme accrédité par Dieu... vous l'avez livré	Dieu l'a ressuscité... David dit de lui : « Tu ne laisseras pas *ton Saint* connaître la décomposition... » Il a vu d'avance la résurrection du *Christ*...« Le Seigneur a dit à mon *Seigneur* : siège à ma droite »	Dieu l'a fait et *Seigneur et Christ*
II = 3, 13-26	Vous avez renié *le Saint et le Juste*... vous faisiez mourir *le Prince de la vie*	Dieu... a glorifié *son Serviteur Jésus*... Dieu avait annoncé que *son Christ* souffrirait... Dieu a d'abord suscité puis envoyé *son Serviteur*	quand le Seigneur enverra *le Christ* qui vous est destiné, Jésus que le ciel doit accueillir jusqu'au temps du rétablissement... pour bénir chacun d'entre vous
III = 4, 10-12	*La pierre* que vous les bâtisseurs avez mise au rebut	est devenue *la pierre angulaire*	par le *nom* de *Jésus Christ* le Nazaréen... grâce à lui cet homme-là se trouve guéri. Il n'y a... aucun autre *nom*... nécessaire à notre salut
IV = 4, 27-28	Contre Jésus, *ton saint Serviteur*, que tu avais *oint*	Hérode et Ponce Pilate se sont ligués	par le *nom* de Jésus, *ton saint Serviteur*
V = 5, 30-32	Jésus	que vous aviez exécuté... le Dieu de nos pères l'a ressuscité	Dieu l'a exalté par sa droite comme *Prince et Sauveur*
VI = 10, 36-43	Jésus, issu de Nazareth, Dieu lui a donné l'*onction* d'Esprit Saint et de puissance... Dieu était avec lui	lui qu'ils ont supprimé en le pendant au bois, Dieu l'a ressuscité le troisième jour	La paix par *Jésus Christ*, lui... le *Seigneur* de tous. C'est lui que Dieu a désigné comme *Juge* des vivants et des morts... le pardon des péchés est accordé par son *nom* à qui met en lui sa foi
VII = 13, 17-41	De sa (David) descendance, Dieu selon sa promesse a fait sortir Jésus, *le Sauveur d'Israël*	Dieu l'a ressuscité... comme il est écrit : « Tu es *mon Fils*, moi aujourd'hui je t'ai engendré... Tu ne laisseras pas *ton Saint* connaître la décomposition	Grâce à lui vous vient l'annonce du pardon des péchés et cette justification que vous n'avez pas pu trouver dans la loi de Moïse

DIEU ET JÉSUS

Deux titres s'imposent immédiatement : Serviteur et Fils. Fils suppose une relation avec un Père; Serviteur, avec un Seigneur. De fait, les deux titres sont constamment affectés d'un possessif : *mon* Fils, dans une parole divine énoncée au Psaume 2 (VII, B), *ton* Serviteur dans une prière adressée à Dieu (IV, A, C), *son* Serviteur dans un rappel de la prophétie d'Isaïe (II, B). Mais on voit dès lors qu'il faut joindre à ces deux titres celui de saint, qui se trouve d'ailleurs associé par deux fois à Serviteur (IV, A, C), et qui, lorsqu'il est isolé, exprime une relation à Dieu particulièrement étroite (I, B; VII, B) : *ton* Saint. Toutefois, on observera qu'en II, A, dans la formule « vous avez renié le Saint et le Juste », l'absence du possessif donne au titre une autre valeur. Le Saint n'est plus défini maintenant par son lien avec Dieu, mais par le contraste entre ce qu'il est et ce que font les hommes.

La différence introduite par la présence ou l'absence du possessif se retrouve à une plus large échelle avec le titre de Christ, le plus fréquent de beaucoup dans ces textes (en I, II, III, IV et VI). Mais il y est présent sous deux formes : le substantif/adjectif Christ (grec *Christos*, hébreu *mashiah* : littéralement *oint*) — et le verbe *oindre*, marquer de l'onction royale (en IV, A et VI, A). Si l'on se souvient de l'enjeu de ces discours (cf. *supra*, p. 58), qui doivent présenter à Israël le Messie rejeté par Jérusalem, on ne peut s'étonner de la place qu'y tient ce titre. Mais on la comprend mieux encore en observant que le titre de Christ répondait admirablement à deux données essentielles de l'événement. D'une part, il est normal que le Christ, descendant de la lignée royale de David, paraisse dans deux conditions successives, celle de prince héritier attendant son avènement, et celle de roi consacré par l'onction. D'autre part, le Christ étant le personnage envoyé par Dieu pour être le roi d'Israël, il est au point de rencontre de deux relations, celle qui l'unit à Dieu

et celle qui l'attache à son peuple. De ces deux points de vue,
l'existence et la personne de Jésus vérifient avec une justesse
étonnante le contenu complexe du titre de Christ. Et l'on
comprend ainsi que Christ puisse, dans ces discours, se trouver
dans des positions différentes et chargé de valeurs complé-
mentaires. En deux cas au moins (III, C et VI, C), associé
à Jésus dans la formule consacrée Jésus Christ, le titre est
devenu un nom propre et son contenu originel demeure flou,
mais l'ensemble des textes laisse encore percevoir la valeur
propre du mot Christ.

Le *Christ* de la troisième colonne, « Dieu l'a fait et Seigneur
et *Christ* » (I), « Quand le Seigneur enverra le *Christ* qui vous
est destiné » (II), « par le nom de Jésus *Christ*... cet homme se
trouve guéri » (III), c'est le Christ exalté par la droite de
Dieu, entré en possession de tout son pouvoir, et c'est de Dieu
qu'il tient cette souveraineté qui fait de lui *le Seigneur*. Ce
pouvoir est un pouvoir de salut (III) et de bénédiction (II),
de pardon et de vie dans l'Esprit (I). Dans ce troisième temps,
l'accent porte avant tout sur la toute-puissance qu'exerce le
Christ sur l'univers. Dans les deux premiers temps au contraire,
l'attention est fixée sur le chemin que Dieu a fait suivre au
Christ pour le conduire à cette seigneurie. Dans la première
colonne, en IV et en VI, il s'agit d'un geste très concret,
l'heure où, tandis que Jésus recevait le baptême de Jean,
Dieu, en faisant reposer sur lui son Esprit Saint, le marquait
de l'onction royale et le donnait à son peuple pour être son
Messie. Entre l'onction du baptême et l'avènement de la
résurrection, il y a toute l'épaisseur de la mission de Jésus
et de son existence terrestre. Dans le baptême, les textes ne
mettent pas directement en valeur ce que fut l'expérience de
Jésus, ni même ce que put signifier l'épisode pour les témoins
et le peuple. Ces aspects sont assurément présents : si l'action
de l'Esprit est présentée comme une onction, c'est à la fois
parce qu'elle investit Jésus jusqu'au plus profond, et que cet
nvestissement est en même temps une investiture qui le
charge d'une mission pour le peuple d'Israël. Mais le personnage central qui mène toute l'action est Dieu, et c'est pour
cette action que le Christ reçoit son investiture.

Cette relation de Dieu et du Christ est plus étroite encore et plus singulière dans le deuxième temps, celui de la Passion. Ici reparaît le possessif qui rattachait à Dieu son Serviteur et son Saint. Jésus est ici nommé *son Christ*, dans le même mouvement où il est nommé *son Serviteur* (II, B). La raison de ce possessif est d'ailleurs explicitée : elle tient au fait que Dieu avait d'avance annoncé le destin de ce personnage (I, B; II, B). Non pas seulement parce que Dieu, du moment qu'il sait tout, peut dire à l'avance le destin de toute créature, mais de façon beaucoup plus précise, parce que si Dieu annonce le destin de son Christ, c'est que sa volonté et son action dans le monde s'opèrent précisément par son Christ, et plus précisément encore par la mort de Jésus, qui est exactement ce qu'il avait préparé et voulu pour son Christ, ce qu'il manifeste en le ressuscitant et en l'investissant de sa propre souveraineté, faisant ainsi de lui son Christ pour Israël et pour toute l'humanité.

JÉSUS ET LES HOMMES

Deux titres, ici encore, sont au premier plan, deux titres qui ne figurent qu'à la troisième colonne : le *Seigneur* et le *Nom*. Singularité qui s'explique parfaitement : l'un et l'autre n'ont de réalité qu'à partir de la résurrection. L'un et l'autre pourtant tiennent à la réalité la plus profonde et la plus personnelle de Jésus. L'un et l'autre expriment la situation de Jésus par rapport aux hommes et l'action qu'il exerce actuellement sur eux.

Le nom de Jésus, ou tout simplement « le Nom » (Ac 5, 41), est plus qu'une façon habituelle de parler dans les premières communautés chrétiennes : il est à la fois un langage et une expérience, quelque chose que l'on dit comme spontanément parce qu'on le vit tous les jours, quelque chose qui transforme l'existence et marque en profondeur tous ceux qui se trouvent unis autour de ce nom. Le nom n'est pas quelque mot de passe mystérieux réservé aux initiés : le nom de Jésus est au contraire, dans tous ces épisodes, proclamé à toute occasion, face à tous les auditoires. Il n'est pas prononcé à la manière d'un formulaire magique, où tout dépend d'une articulation exacte, ni même encadré dans un rite qui concentre sur lui l'attention. Il est exprimé, et doit l'être, parce qu'il contient réellement le personnage qu'il vise, parce qu'il est ce personnage lui-même, tel qu'il s'est remis entre les mains et dans le cœur des siens, plus exactement tel que Dieu, en le ressuscitant, le remet lui-même aux mains des croyants, impérissable, tout-puissant, invulnérable. Répéter le nom de Jésus, c'est pour la communauté proclamer qu'elle tient de lui son existence et sa vitalité. Ce n'est pas le manipuler à sa guise, c'est au contraire témoigner face aux hommes que « ce nom leur est réellement donné » (4, 12) et qu'avec ce nom, ils peuvent avoir avec Jésus la relation de foi (3, 16; 10, 43) qui, lorsqu'il vivait sur la terre, avait sauvé le paralytique ou le serviteur du centurion (Lc 5, 20; 7, 9), la pécheresse ou la femme atteinte d'hémorragies (Lc 7, 50; 8, 48).

Ce nom est le nom de Jésus, le nom dont l'appelaient ses parents et les gens de Nazareth. Il est très rare dans les évangiles que Jésus soit interpellé par son nom, et il y a bien des chances pour que les quelques exemples où ce nom figure au vocatif (Lc 4, 34; 8, 28; 17, 13; 18, 38; 23, 42) reprennent des usages chrétiens. Normalement, les interlocuteurs de Jésus semblent lui avoir donné le titre de *Rabbi* par lequel ils reconnaissaient son autorité religieuse, bien qu'il n'ait pas passé par les écoles. Or voici qu'après sa résurrection, maintenant qu'il est vivant dans le monde de Dieu, ses disciples, pour l'invoquer, reprennent le nom de sa naissance et proclament que c'est par ce nom et non par aucun titre extérieur, par la vertu de ce qu'il est en lui-même et fait de Jésus ce qu'il est, cet individu et non un autre, que sont sauvés les hommes qui croient en lui et adhèrent à ce nom. On notait plus haut, au début de ce chapitre, que le nom de Jésus, en tête de ces discours, commandait, bien qu'il fût complément et non sujet, toute la phrase qui suivait, et montrait ainsi que le discours tout entier présentait le même événement et le même personnage. Au terme de ces discours, le nom de Jésus évoqué dans toute sa puissance ramène à l'origine, pour montrer le chemin parcouru, mais aussi l'unité du parcours et du personnage.

Le titre de *Seigneur* est, de tous les titres donnés à Jésus, le plus « divin », le plus proche des noms strictement réservés à Dieu. Seigneur traduit le grec *Kurios*, et *Kurios* est, dans la traduction grecque de la Bible couramment utilisée du temps de Jésus par les Juifs de langue grecque, l'équivalent du nom divin désigné par le tétragramme sacré YHWH. Dans cette coïncidence entre le nom sacré et *Kurios* d'une part, *Kurios* et Jésus de l'autre, il était séduisant de voir affirmée l'identité entre Jésus et le nom du Dieu unique, YHWH : du moment que les disciples de Jésus lui donnent le titre de Seigneur et que ce titre n'appartient qu'à Dieu, c'est donc qu'ils identifient Jésus à Dieu et confessent que Jésus est Dieu.

Cette conclusion, trop rapide en fait, n'est satisfaisante qu'en apparence. Le Dieu dont parlent nos discours, c'est toujours « le Dieu d'Abraham, d'Isaac et de Jacob, le Dieu de nos pères » (3, 13 ; 5, 30), « le Dieu de notre peuple d'Israël » (13, 17), le Dieu qui parlait par David et les prophètes, celui de qui Jésus parle comme d'un Autre, et à qui il s'adresse comme à un Autre. Identifier directement Jésus à cette Personne parfaitement définie, c'eût été nier tout le message de Jésus. Et aboutir à une absurdité : confondre le Père et le Fils. Quand les premiers chrétiens nomment Jésus le Seigneur (*Kurios*), ils le distinguent de ce YHWH qu'avec toutes les Écritures ils continuent de nommer Dieu (*Theos*)[1].

Pour comprendre comment Jésus Seigneur a fini par être nommé Jésus Dieu, il faut revenir à nos textes. Ils font d'abord apparaître, sans la moindre gêne, le paradoxe surprenant : que Dieu et Jésus puissent être l'un et l'autre et simultanément appelés Seigneur. Dans le premier discours, en I, B, la citation du psaume 110, « le Seigneur a dit à mon Seigneur : assieds-toi à ma droite... » est immédiatement utilisée pour prouver qu'en

---

1. Cf. L. Cerfaux, art. « *Kyrios*, Nouveau Testament », dans *Supplément au Dictionnaire de la Bible*, V, 1957, cc. 214-228.

ressuscitant Jésus, le Seigneur Dieu d'Israël a fait Seigneur et Christ le Messie rejeté par son peuple. Deux personnages à côté l'un de l'autre, dont les gestes ne sont pas les mêmes : l'un donne et l'autre reçoit. L'un et l'autre portent le même titre. A-t-il exactement la même valeur ?

On s'enferme dans une impasse aussi longtemps que l'on prétend donner au mot Seigneur *(Kurios)* un sens précis et délimité, complet en lui-même. Seigneur est un titre toujours appliqué à une personne. Non pas seulement comme une autre façon de la nommer, de même qu'on peut appeler Dieu le Créateur, ou Jésus le Sauveur, par une fonction caractéristique. Seigneur est normalement inséparable de la personne qu'on désigne par ce titre. Dans l'Ancien Testament, l'emploi naturel de Seigneur est d'être associé au nom propre de Dieu, Yahvé. Cet emploi est spécialement net chez les prophètes, et paraît avec toute sa force dès le premier des prophètes-écrivains, Amos :

> *Voici ce que me fit voir Monseigneur Yahvé :*
> *il formait un essaim de sauterelles...*
> *comme elles avaient dévoré toute l'herbe du pays...*
> *je dis : « Monseigneur Yahvé, pardonne, je t'en prie*

Am 7, 1-2.

Seigneur paraît ici accompagné du possessif : Monseigneur (hébr. *adôni*), et le possessif demeure même lorsque Seigneur n'est pas au vocatif et qu'on ne s'adresse pas à lui, mais qu'on parle de lui à la troisième personne :

> *Monseigneur Yahvé ne fait rien*
> *sans révéler son secret à ses serviteurs les prophètes*

Am 3, 7-8.

On voit du reste pourquoi le prophète tient à parler de Monseigneur à la première personne : pour bien marquer qu'il ne dépend de nul autre que de son Seigneur. Seigneur, dans le monde de la Bible, dit la souveraineté, et c'est un mot du langage royal, mais cette souveraineté s'exerce sur des personnes et à travers des rapports de personnes. Le *Baal* est un propriétaire qui dispose de ses biens, le Seigneur *(Adôn)* mesure sa puissance à la valeur de ses serviteurs, et ceux-ci tiennent leur dignité de la grandeur de leur Seigneur. Seigneur et serviteur sont l'un et l'autre des titres de noblesse, et valent l'un par l'autre. Le propriétaire qui perd sa fortune n'est plus rien, mais le Seigneur peut se dépouiller de sa puissance et se faire le Serviteur sans cesser d'être ce qu'il est.

Lorsqu'un prophète évoque la figure de « Monseigneur Yahvé », il dit à la fois la personnalité unique du Dieu d'Israël, sa vitalité inépuisable, sa volonté irréductible, et sa manière de s'attacher des serviteurs et de mener son œuvre avec eux. Cette expérience n'est pas réservée aux prophètes. Le peuple de l'Alliance tout entier, en reconnaissant Yahvé pour son Dieu, l'accueille tel qu'il est, dans sa réalité concrète et personnelle, et se donne à lui comme à son Seigneur. Cette expérience typiquement israélite s'exprime dans le langage de la Bible. Lorsque, peu avant l'ère chrétienne, les Juifs s'interdirent par un respect sacré de prononcer le nom propre de leur Dieu, Yahvé, ils le remplacèrent dans la lecture des Écritures par le nom de Seigneur *(Adonay)*. Mais lorsqu'ils prononçaient ce mot, non seulement ils gardaient sous les yeux les quatre lettres ineffables YHWH, mais ils ne pouvaient détacher l'un de l'autre le titre et la personne, le Seigneur et Yahvé. Toutes les fois qu'un enfant d'Israël répète la profession de foi fondamentale : « Écoute, Israël ! Le Seigneur notre Dieu est le Seigneur un » (Dt 6, 4), il donne à ce « Seigneur » toute la richesse concrète de Yahvé son Dieu, et de l'histoire qu'ils vivent ensemble.

Ainsi en va-t-il du Seigneur Jésus. Le Seigneur Jésus n'est pas le Seigneur Dieu, et les disciples de Jésus n'ont aucun mal à redire le verset du psaume : « Le Seigneur (Dieu) a dit à mon Seigneur (Jésus) » (Ps 110, 1; cf. Lc 20, 42; Ac 2, 34). Pas seulement parce qu'ils sont deux, mais parce que chacun de ces deux *Seigneurs* a sa physionomie propre, qui demeure vivante même si l'on omet de compléter, Seigneur Dieu ou Seigneur Jésus.

Un trait essentiel du titre Seigneur appliqué à Jésus, c'est en effet d'établir une relation unique entre chacun des croyants et l'être même de Jésus, sa personne. On oserait dire :

de la singularité du croyant à la singularité de Jésus. Il y a
effectivement quelque chose de singulier dans le titre de Seigneur. On proclame de Jésus qu'il est le Messie, le Sauveur,
le Prince de la vie. On le définit ainsi par sa mission et son
œuvre, et l'on appelle les hommes à l'accueillir dans son
action. Sans doute cette mission est-elle inséparable de sa
personne, et dire à Jésus « Tu es le Christ », c'est réellement
dire qui il est, et se donner à lui dans la foi. Mais il subsiste
dans ces titres, et même dans celui de Christ, une part qui
semble venir de l'extérieur, un contenu formé par des langages antérieurs. Le titre de Seigneur ne définit pas en Jésus
une activité particulière, il établit entre les hommes et Jésus
la vraie relation. Dire « Jésus est Seigneur » (1 Co 12, 3), ce
peut être une conclusion ou une découverte, mais c'est d'abord
un mouvement du cœur né de l'Esprit Saint, comme de dire
à Dieu « Abba ! Père » (Rm 8, 15). Et c'est pourtant l'affirmation d'une réalité, car il est vrai que Jésus est Seigneur, il
l'est en tout ce qu'il fait et par tout ce qu'il est.

Une autre particularité de ce titre singulier, c'est qu'il est
à la fois réservé, dans les proclamations et les confessions de
foi, au dernier moment de l'existence de Jésus et de sa révélation (Ac 2, 36 ; Rm 10, 9 ; Ph 2, 11), et couramment utilisé,
dans les évangiles et dans les épîtres de Paul, pour désigner
Jésus et son activité. Alors que, au témoignage de Marc, le
titre donné habituellement à Jésus par ses interlocuteurs était
celui de *Rabbi* (grec *didaskale*), Matthieu et Luc transforment
généralement ce *Rabbi* en *Kurie*, et Luc à plusieurs reprises,
dans les morceaux qui lui sont propres, substitue au *Jésus*,
sujet habituel des récits, le solennel *le Seigneur* (7, 13 ; 10, 1 ;
10, 39 ; 11, 39). Procédé parfaitement compréhensible et qui
tient à la nature même des évangiles : le personnage dont ils
retracent l'action est à la fois l'homme dont il s'agit d'évoquer
la figure authentique dans son cadre d'origine et son milieu
historique, et le personnage divin révélé par la résurrection.
Mais l'étonnant est que le procédé paraisse si peu artificiel, et
qu'il semble aussi naturel de dire à Jésus *Maître* que *Seigneur*,
de raconter « Jésus fut pris de pitié pour la foule » (Mc 6, 34)
ou « le Seigneur fut pris de pitié pour elle » (Lc 7, 13).

Sans doute l'habitude joue-t-elle ici de façon très nette :
c'est nous qui trouvons tout naturel de passer de *Maître* à
Seigneur, d'appeler Jésus le Seigneur ou le Christ. L'habitude pourtant n'explique pas tout, et elle-même a besoin
d'explication.

F. Hahn, qui a étudié ces textes avec une extrême attention,
propose une explication originale[1]. Le mot *Seigneur*, appliqué
à Jésus, prend deux valeurs très différentes, correspondant à
des situations qu'il faut se garder de confondre. Il y a le Seigneur investi de la grandeur royale, exalté par Dieu et intronisé dans sa gloire (et, pour Hahn, aux premiers temps de
l'Église, ce moment n'est pas encore venu à la résurrection,
il ne viendra qu'avec la venue du Messie dans sa gloire),
présent dans sa communauté et adoré par les croyants — et
il y a, dès avant Pâques, un personnage porteur d'une autorité
indiscutée, maître incontesté d'un groupe de disciples, et dont
le pouvoir rayonnait sur ceux qui l'approchaient. On l'appe-
lait indifféremment *Rabbi* ou *Seigneur*, et la distance entre les
deux titres n'est pas infranchissable, celui de Seigneur ayant
cependant quelque chose de plus vaste. On ne voit guère de
différence entre le mot d'un scribe à Jésus : « Rabbi, je te
suivrai partout où tu iras » (Mt 7, 19), et la réponse toute
voisine d'un autre scribe : « Seigneur, permets-moi d'abord
d'aller ensevelir mon père » (Mt 8, 21 ; cf. de même Mc 11, 3
comparé à 14, 14). Et l'on retrouve peut-être chez Paul la
trace de cette « seigneurie » prépascale de Jésus, de l'autorité
qui se dégageait de lui et du respect qui accueillait ses paroles,
dans les quelques passages où Paul distingue, à propos des
cas posés dans le mariage et le célibat, les enseignements « du
Seigneur » (1 Co 7, 10) et les siens propres (7, 12.25). Ces
enseignements du Seigneur remontent au passé, au temps où
Jésus parlait, où « le Seigneur ordonnait à ceux qui annoncent
l'Évangile de vivre de l'Évangile » (1 Co 9, 14). L'exemple
le plus typique de cette référence au Seigneur dans son exis-

1. F. HAHN, *Christologische Hoheitstitel. Ihre Geschichte in frühen Christentum,*
Göttingen, 1963; cf. R. SCHNACKENBURG, *La Christologie dans le Nouveau Testament
et le dogme* (Mysterium salutis, 10), Cerf, 1974, pp. 50-51.

tence terrestre est le récit du dernier repas de Jésus : « Le Seigneur Jésus, dans la nuit où il fut livré, prit du pain... » (1 Co 11, 23). C'est encore à ce passé que renvoie l'expression consacrée « les frères du Seigneur » (1 Co 9, 5). Tous ces exemples sont précieux parce qu'ils permettent de retrouver, dans le comportement des disciples de Jésus avant Pâques, l'amorce de la foi pascale au Seigneur ressuscité.

Ces exemples sont en effet significatifs. Ils prennent plus de force quand on les rapproche d'un fait capital, la présence, au cœur de la foi et de l'espérance des premières communautés chrétiennes, de la prière *Maranatha* (1 Co 16, 22 ; cf. Ap 22, 20). Transcrite telle quelle dans une lettre écrite en grec à une communauté de langue grecque, celle de Corinthe, cette formule araméenne est évidemment une création des communautés de Palestine et remonte donc très haut dans le temps. La formule peut avoir deux sens : *le Seigneur vient*, ou *Viens, Seigneur*. Le parallélisme avec l'équivalent grec de Ap 22, 20 fait en général préférer l'impératif. De toute façon, elle exprime le mouvement profond qui soulève les croyants, le désir de voir venir leur Seigneur.

Ce Seigneur porte un nom araméen, *Maran* ou *Marana*, qui est normalement un titre royal. Le fait est d'importance. Négativement, il prouve que la confession de Jésus Seigneur n'est pas, comme on l'a cru parfois, une adaptation de la foi chrétienne au monde religieux de langue grecque, des dieux seigneurs et des empereurs divinisés, mais qu'elle remonte aux débuts même de l'Église et aux communautés judéo-chrétiennes de Palestine. Positivement, il pourrait y avoir continuité entre le nom de *Mari*, Monseigneur, parallèle à celui de *Rabbi*, donné à Jésus de son vivant, et le titre royal *Marana*, Notre Seigneur, expression de la foi pascale.

Pourtant, même si ces repères peuvent être significatifs, même si les points relevés par F. Hahn méritent l'attention, ils ne suffisent pas à rendre compte du fait massif : la généralisation du titre *Seigneur* avec sa valeur la plus forte. Le Seigneur Jésus, à quelque point du Nouveau Testament qu'on le trouve, c'est toujours à la fois « le Seigneur de la gloire » (1 Co 2, 8) et « Jésus le Nazaréen ». Beaucoup des textes cités par Hahn sont susceptibles d'une explication inverse de la sienne. Si l'on parle toujours des « frères du Seigneur », ce n'est peut-être pas pour préserver une appellation ancienne, mais au contraire parce que la révélation du Seigneur avait enveloppé sa famille dans sa gloire. Si Paul continue à citer les paroles du Seigneur, c'est précisément que celui qui les avait prononcées ne peut être que le Seigneur à jamais.

En vérité, si le titre de Seigneur paraît s'adapter si naturellement à Jésus, c'est qu'il n'était pas besoin, en le lui donnant, d'ajouter quoi que ce fût à ce qu'il était déjà, quelque supplément d'humanité ou de sainteté. D'un homme qui disparaît et dont on découvre après coup la grandeur insoupçonnée, la figure qui émerge et qu'on cherche à fixer est sensiblement différente de celle qu'on avait l'habitude de voir, en sorte que, pour le retrouver, il faut toujours corriger le regard ancien. Découvrir que Jésus est le Seigneur, c'est bien une expérience radicalement nouvelle, mais la nouveauté qui paraît en lui et qui transforme le regard posé sur lui vient réellement de lui et ne le change pas. C'est lui qui, donnant l'Esprit, se donne du même coup au regard et au cœur.

Ce don de s'imposer au plus profond, cette puissance sur les regards et les cœurs, c'est cela, pour Jésus, devenir le Seigneur. Or cette puissance, il la tient de Dieu seul. Non seulement parce que Dieu seul peut la lui donner, le rendre capable de se faire reconnaître et confesser dans la foi. Mais parce que cette puissance est celle de Dieu lui-même, et que ce don ne lui vient pas du dehors mais de ce qu'il est. C'est cela que signifient nos textes en utilisant des images forcément insuffisantes, mais dont la visée est claire : « Exalté par la droite de Dieu » (Ac 2, 33), devenu « Prince de la vie » (3, 15), « Prince et Sauveur » (5, 31), « Seigneur de tous les hommes » (10, 36), « Juge des vivants et des morts » (10, 42). Tous ces titres disent à la fois un pouvoir souverain sur l'humanité et son destin, sur la condition et l'existence de l'homme, et un pouvoir réservé à Dieu, car Dieu seul atteint l'homme au fond de sa conscience, au cœur de son existence, là où il choisit le bien ou le mal, où il joue sa vie et sa mort.

Il y a donc bien deux Seigneurs, et le Seigneur Dieu n'est

pas le Seigneur Jésus : l'un parle à l'autre et celui-ci écoute, l'un donne et l'autre reçoit. Mais il n'y a qu'une seule Seigneurie, celle que Dieu remet à son Christ et qui atteint tout l'homme et tout l'univers. Et il n'y a qu'une seule adoration, qui unit dans le même élan Dieu et Jésus. Nous sommes loin encore des formules trinitaires qui deviendront classiques, mais lorsque les symboles postérieurs diront du Christ et de l'Esprit qu' « ils reçoivent même adoration et même gloire » que le Père, ils diront exactement, dans un langage absolument rigoureux, ce que disent les premiers discours de l'Église dans les *Actes des Apôtres*, en décrivant simplement l'expérience initiale de la foi.

DIEU ET SON SERVITEUR

Pour que Dieu puisse ainsi faire de Jésus le Seigneur de tous les hommes, sans avoir à le revêtir d'une gloire empruntée, il faut qu'en Jésus lui-même il y ait, dès le point de départ, bien autre chose qu'une prédisposition innée : ce qu'on pourrait appeler une correspondance naturelle. Ce raisonnement n'est nulle part développé dans les discours, il affleure cependant plus d'une fois. Dans le discours de la Pentecôte, il est quasi explicite : « Il n'était pas possible que la mort le retienne en son pouvoir » (Ac 2, 24). Traduisons : c'était contraire à sa nature. Les discours ne s'engagent pas dans ce type de langage. Ils utilisent une voie plus concrète et plus accessible : le langage des Écritures et les figures de la Foi d'Israël.

On a déjà noté que plusieurs des titres donnés à Jésus étaient affectés d'un possessif :

Tu ne laisseras pas ton *Saint connaître la décomposition*

2, 27; 13, 35.

Le Dieu d'Abraham a glorifié son *Serviteur Jésus*

3, 13.

Dieu avait annoncé que son *Christ souffrirait*   3, 18.

Dieu avait envoyé son Serviteur 3, 26.

Hérode et Ponce-Pilate se sont ligués contre ton saint Serviteur
4, 27.

Étends donc la main, pour que se réalisent...
par la main de Jésus, ton saint Serviteur 4, 30.

On voit immédiatement la place éminente qu'occupe dans
cette série la figure du Serviteur souffrant présentée aux
Juifs déportés à Babylone par le Livre de la Consolation
(Is 40 — 55). Et l'on n'en est pas surpris quand on songe au
rôle joué par cette figure dans la première prédication de
l'Église, et à la nécessité où se trouvaient les premiers chrétiens
de justifier le scandale d'un Messie crucifié. Mais ce serait
passer trop vite sur ces textes que de les expliquer seulement
par le souci apologétique de justifier la souffrance et la croix.
D'abord les textes eux-mêmes ne semblent pas mettre cette
préoccupation au premier plan. Ce qu'ils soulignent avec
insistance, c'est plutôt le lien personnel qui unit Dieu à son
Serviteur et qui se manifeste, durant sa vie, par la mission
qu'il lui confie, et après sa mort, par la Souveraineté qu'il
lui confère sur toute créature. Il est notable qu'à côté du
Serviteur, la série comprenne aussi « ton Saint » et « son
Christ ».

Ces possessifs sont lourds de signification. Car, venant des
Écritures d'Israël, ils ont valeur de parole divine. C'est Dieu
lui-même qui a fait dire à David « Tu ne laisseras pas ton saint
connaître la décomposition » (Ps 16, 10) et qui par conséquent
autorise « son saint » à revendiquer ce titre. Or si l'on entend
souvent dans les psaumes monter vers Dieu le cri de ceux qui,
en vertu de l'alliance d'Israël, sont en droit de se dire « ses
saints » ou, plus exactement « ses fidèles » (Ps 30, 5; 31, 24;
37, 28; 52, 11; 79, 2; 85, 9; 97, 10; 116, 15; 132, 9; 145, 10;
148, 14; 149, 1.9), il est beaucoup plus rare qu'un suppliant
individuel ose se nommer devant Dieu « son fidèle » (Ps 4, 4)
ou « ton fidèle » (Ps 16, 10), ou encore « ton serviteur »
(Ps 86, 2.4; 116, 16 : qu'on note, en 116, 15 « il en coûte
au Seigneur de voir mourir ses fidèles »). Car Dieu seul est
en mesure de dire qui est son fidèle et son serviteur. Le ser-

viteur ne peut dire qu'une chose : s'il a exécuté ou non le
travail dont il était chargé et qu'un autre sans doute aurait
pu faire à sa place (cf. Lc 17, 10).

La singularité unique du personnage intitulé « le Serviteur
de Yahvé », c'est que, à la différence des autres figures offertes
à l'espérance d'Israël, le Fils de David, le Messie, le Pasteur,
le Fils de l'homme, ce Serviteur est présenté à Israël et aux
nations par Dieu lui-même, avec un accent de triomphe. Les
autres, si l'on peut dire, leur mérite et leur gloire est d'apporter
au peuple de Dieu le salut qu'il attend. Mais celui-là, celui
que Dieu émerveillé appelle « mon Serviteur » (Is 42, 1;
52, 13; 53, 11), son affaire est d'accomplir l'œuvre que Dieu
lui-même lui confie, et sa récompense est d'entendre Dieu
lui dire « Tu es mon Serviteur ».

Voici mon Serviteur que je soutiens, *mon Élu, en qui mon âme se complaît*	Is 42, 1.
Voici que mon Serviteur prospérera, *il grandira, s'élèvera, sera placé très haut*	52, 13.
Par sa connaissance, le Juste, mon Serviteur, *justifiera des multitudes*	53, 11.

Tout cela n'était pas encore clair au temps de l'exil et du
Second Isaïe : la différence entre les « mon serviteur Israël »
fondés sur l'Alliance (Is 41, 8; 44, 1...) et le Serviteur écrasé
pour les fautes de tous n'est pas immédiatement évidente.
Dans les discours des *Actes*, elle est nette, et elle s'exprime
justement dans ce possessif venu de Dieu lui-même. Car Israël,
à l'heure critique, a fait défaut, tandis que Jésus prouvait par
sa fidélité qu'il était bien « le Serviteur ».

Le fait étrange, si l'on tient compte de la valeur si forte
des possessifs divins dans ces discours et du lien si étroit qu'ils
supposent entre Dieu et le personnage qu'il envoie accomplir
son œuvre, c'est l'absence du titre de Fils. Il ne paraît qu'une
seule fois, en Ac 13, 33 (tableau, VII, B). Encore est-ce dans
une citation littérale de Ps 2, 7 où, le jour de son avènement,
le roi d'Israël est nommé par Dieu son fils. Sur la base de
cette citation, il est clair au moins que, pour l'auteur des

Actes, la prédication de l'Église naissante n'était pas ce qu'elle est par exemple pour Marc : « l'Évangile de Jésus Christ Fils de Dieu » (Mc 1, 1). Ce silence sur le titre qui pour Paul et tous les évangélistes sera le titre essentiel de Jésus, a sans doute un aspect rassurant, en montrant que Luc est conscient de la différence des langages et de la distance où il est des origines. Mais une question redoutable se lève : serait-ce donc que les chrétiens aient mis si longtemps pour se rendre compte que Jésus était le Fils de Dieu ? Et que vaut alors cette conscience tardive, sur quoi repose-t-elle ?

Il est vrai, s'il ne restait du christianisme primitif que les discours des *Actes*, il serait impossible de caractériser la foi chrétienne comme la foi en Jésus Fils de Dieu. Mais les *Actes* doivent être complétés à la fois par le témoignage évident de Paul, bien antérieur à la rédaction des *Actes*, et par les données évangéliques, inexplicables sans la conscience en Jésus d'être « le Fils » (Mt 11, 27; 24, 36). Or les discours des *Actes*, dans cet ensemble, avec leur note si frappante, et probablement voulue, d'archaïsme, tiennent une place capitale, pour mieux nous faire comprendre ce qu'est la révélation du Fils de Dieu.

Nous sommes toujours plus ou moins captifs des mots, que nous entendons forcément dans le sens auquel nous sommes habitués. Fils de Dieu, pour beaucoup de chrétiens, ne pose pas de problèmes, ne doit pas poser de problèmes : c'est un article du *Credo*, une vérité élémentaire. Rien n'est plus vrai, et ce n'est pas en portant le doute sur ces vérités qu'on les éclaire. Elles ont besoin pourtant d'être approfondies, et la simple lecture du Nouveau Testament peut nous aider à mieux les comprendre.

Il est vrai que les discours des *Actes* ne parlent qu'une fois de Jésus Fils de Dieu, et de façon indirecte. Et pourtant, dès les premières années de l'Église, on transmettait certainement les paroles du Seigneur, et le *Abba*, le cri de l'enfant à son papa (cf. Mc 14, 36)[1], et la confidence inattendue « Nul ne connaît le Fils si ce n'est le Père, et nul ne connaît le Père si ce n'est

---

1. Cf. J. Jeremias, *Abba, Jésus et son Père* (Parole de Dieu, 8), Seuil, 1972.

le Fils » (Mt 11, 27) où jaillit la certitude d'une réciprocité totale, d'une parfaite transparence. Luc lui-même connaît ces paroles et sait qu'elles viennent de Jésus (Lc 10, 22; 22, 42). Et cependant, quand il fait parler Pierre, il lui fait tenir un autre langage. Que veut-il donc dire à son lecteur ?

Sans doute quelque chose d'important. C'est que, si Jésus est bien le Fils de Dieu, il faut entendre Jésus prononcer ce mot pour savoir ce qu'il veut dire et ne pas se méprendre sur son contenu. Car rien de plus équivoque que le mot fils de Dieu. La preuve, c'est que, dans l'Évangile de Luc, quand il n'est pas prononcé par Dieu lui-même (Lc 1, 32.35; 3, 22; 9, 35), il est sur la bouche d'adversaires incapables de lui donner son vrai sens (4, 3.9; 8, 28) ou de l'admettre pour Jésus (22, 70)[1]. Dieu seul peut révéler aux hommes ce qu'est son Fils. La visée constante des discours des *Actes* est précisément, si l'on ose dire, de faire parler Dieu sur Jésus, de montrer qu'il a parlé de Jésus. Et le moyen utilisé est de faire coïncider les gestes de Jésus et les paroles de l'Écriture. Or il est peu de paroles où Dieu dans les Écritures désigne son fils d'une façon qui appelle naturellement le personnage de Jésus. La plus proche est la parole du sacre au Ps 2, 7, reprise en Ac 13, 33. Mais elle demeure beaucoup moins suggestive du Jésus réel et de son destin que les « mon Serviteur » du Livre d'Isaïe. Et l'on peut comprendre que les *Actes* lui donnent beaucoup moins d'importance.

Cette discrétion sur la relation filiale de Jésus à Dieu comporte d'ailleurs un avantage sensible, celui de donner à la relation filiale une dimension qu'on risquerait d'oublier. Car, silencieux sur la relation Père-Fils, les discours sont étonnamment insistants sur la relation Dieu-son-Serviteur et Dieu-son-Saint. Or cette relation est toute proche de la relation filiale. Le lien de possession révélé dans la victoire du Serviteur, du Saint ou du Christ, était en fait bien antérieur à cette victoire. L'événement a fait apparaître une relation que nul encore n'avait soupçonnée, mais qui précisément explique

---

1. A. GEORGE, « Jésus Fils de Dieu dans l'évangile selon saint Luc », *Revue biblique*, 72 (1965), pp. 185-209.

tout ce qui s'est passé. Si Jésus n'avait pas appartenu à Dieu, s'il n'y avait pas eu entre Dieu et lui cette communication extraordinaire, rien ne se serait produit dans le monde : Israël et l'humanité attendraient encore le salut. Il y a dans ces possessifs divins comme une première affirmation de la préexistence de Jésus. Non pas l'affirmation d'une existence antérieure à l'Incarnation, telle que la formulera le prologue johannique. Mais la certitude que l'existence et le destin de Jésus, bien avant sa Passion, reposent sur l'assurance absolue que Dieu met en lui, sur la situation unique où il se trouve par rapport à Dieu, sur un mystère insoupçonné des hommes qui les unit l'un à l'autre. Bien que le mot de Fils ne paraisse pas dans ce contexte, parce que le langage de l'Ancien Testament ne s'y prêtait pas, c'est lui qui, en définitive, répond le mieux à cette relation sans pareille dans le monde.

IV

La confession
de la foi en Jésus

Les textes que nous venons d'étudier, qu'ils se transmettent
à l'intérieur de la communauté, comme les récits de la Cène
et de la résurrection, ou qu'ils visent les hommes de l'extérieur,
pour les amener à la foi, comme les discours des *Actes*, ont
tous l'accent d'une parole faite pour être écoutée, d'un appel
et d'un enseignement. Cet appel a été entendu, cet enseignement a été reçu. Des hommes ont rejoint les premiers disciples de Jésus, ont reçu le baptême, ont fait l'expérience de
l'Esprit. Rapidement, à travers le monde méditerranéen, à
Antioche, à Philippes, à Corinthe, à Rome, des communautés sont nées, une communion s'établit dans la foi, une
communication dans le langage. Le grand artisan de ce développement est Paul, mais il n'est pas le seul.

Paul est apôtre. Sa vocation le place au même rang que les
Douze : chargé d'annoncer l'Évangile et de fonder les Églises.
Mais il a reçu le baptême (Ac 9, 18), il a reçu d'autres mains
que les siennes « la Tradition du Seigneur » (1 Co 11, 23). Et
sa puissance de sympathie, sa manière de « se faire tout à
tous » (1 Co 9, 22) font qu'il est toujours à la fois celui qui
enseigne et celui qui écoute, celui qui transmet et celui qui
reçoit (1 Co 11, 23; 15, 3). A travers toute son œuvre, que ce

soit dans l'autorité de l'apôtre, dans la puissance du docteur ou dans la foi du croyant, partout retentit l'écho de l'unique événement, partout le regard est fixé sur la personne de Jésus Christ. A cause de son génie si personnel, et à cause de sa fidélité totale au message qu'il a reçu, Paul est un témoin exceptionnel de ce que devient dans le christianisme l'Évangile entendu et reçu, le Christ accueilli et connu. Il est presque toujours possible, et parfois simplement à partir du style, de distinguer chez Paul ce qu'il reçoit de la tradition antérieure, et ce qu'il fait pour son compte de cet héritage commun.

Laissant de côté l'originalité propre de Paul et sa théologie personnelle, nous essaierons seulement de ressaisir ce que devient chez lui la tradition venue du Seigneur et l'Évangile annoncé par ses disciples. Dans son œuvre, comme d'ailleurs dans l'ensemble des Lettres apostoliques du Nouveau Testament, on observe, par rapport à la prédication des *Actes*, un double mouvement, de concentration dans le vocabulaire et d'approfondissement dans l'expérience.

Les mots et les titres utilisés pour définir Jésus et son action deviennent moins nombreux, et ceux qui subsistent, Seigneur ou Christ, perdent en partie leur accent vétéro-testamentaire et tendent à devenir des noms propres, à la limite interchangeables. Le mot Seigneur par exemple peut garder toute sa force originelle dans la confession « Jésus est Seigneur » (1 Co 12, 3), et il en reste certainement quelque chose dans la formule « Notre Seigneur Jésus Christ » (1 Co 1, 2.7.8.9.10...), mais il est visible que l'expression tend à devenir un stéréotype.

Si le vocabulaire a tendance à se fixer et peut-être à se banaliser, cela ne signifie pas que son contenu se décolore ou s'affaiblisse. Tout au contraire, le personnage Jésus gagne en relief d'une façon étonnante. Le Jésus des *Actes* est d'abord le rappel d'une expérience passée, celle des gens de Palestine qui ont rencontré jadis Jésus ou ont entendu parler de lui. C'est aussi un appel pour ceux qui ne le connaissent pas, une invitation à s'informer auprès de ses disciples. Mais sa personnalité n'est guère décrite; elle tient essentiellement dans les noms qu'on lui donne et qui définissent son action. Au contraire, le Jésus des lettres pauliniennes a une intensité extraordinaire. « Exposé aux regards », dans tout le réalisme de son humanité et de sa Passion (Ga 3, 1 ; cf. 1 Co 2, 2), par une parole qui tient toute sa force de l'événement de la croix, le Christ crucifié de Paul a une présence et une personnalité intenses. Son action n'est plus celle qu'il menait sur la terre, et pourtant elle n'est pas vraiment différente. Elle s'étend au monde entier, au plus secret des cœurs, mais elle ne se perd pas dans le hiératisme ou le rêve. Jésus Christ est vivant, il agit, il aime, il vient.

Ce Christ vivant au cœur des hommes, grand comme l'univers, ce n'est pas une création de Paul, de son cœur et de son génie. L'imaginer seulement serait pour l'apôtre la pire des insultes : « Si quelqu'un, même nous ou un ange du ciel, vous annonçait un Évangile différent de celui que nous vous avons annoncé, qu'il soit anathème ! » (Ga 1, 8). La valeur exceptionnelle de tant de formules où Paul exprime sa foi en Jésus Christ, c'est qu'on y perçoit presque toujours deux notes distinctes, mais jamais discordantes, l'accent propre de l'apôtre et la dominante profonde de la foi commune.

JÉSUS, SUJET PASSIF

Une première série est constituée de textes faciles à isoler parce qu'ils apparaissent au milieu d'un développement, comme des citations quasiment explicites, immédiatement reconnaissables par le style, le rythme, l'appel à la mémoire et à l'attention de l'auditeur :

I   *Il est grand indiscutablement, le mystère de la piété :*
      Il a été manifesté dans la chair, justifié par l'Esprit,
      Contemplé par les anges, proclamé chez les païens,
      Cru dans le monde, exalté dans la gloire.

                                        1 Tm 3, 16.

II   *Souviens-toi de Jésus Christ,*
ressuscité d'entre les morts,
issu de la lignée de David.   2 Tm 2, 8.

III   *... l'Évangile de Dieu... concernant son Fils*
issu selon la chair de la lignée de David,
établi selon l'Esprit Saint Fils de Dieu
    avec puissance par sa résurrection d'entre les morts,
Jésus Christ notre Seigneur.   Rm 1, 1-4.

IV   *Si de ta bouche tu confesses*
    que Jésus est Seigneur,
et si dans ton cœur tu crois
    que Dieu l'a ressuscité des morts,
tu seras sauvé.   Rm 10, 9.

Il y a quelque paradoxe à rapprocher ces textes. Les deux premiers ne peuvent être antérieurs aux dernières années de Paul, alors que les deux derniers datent de sa pleine maturité. Mais comme tous les quatre sont des emprunts, la date de leur rédaction, c'est-à-dire de leur insertion dans les épîtres, devient secondaire, du moment que ce qui nous intéresse est d'abord la forme typique de ces morceaux et leur contenu propre.

Le plus frappant dans la forme, c'est le rythme, la répétition de membres de phrase d'égale longueur, où les mots se répondent, aux mêmes places : chair... esprit; lignée de David... Fils de Dieu; bouche... cœur... Notable aussi l'accent contemplatif de ces pièces : on se trouve devant un mystère qui a été révélé et dont il faut recueillir tout le fruit. Il faut regarder, se souvenir, méditer, repasser par la bouche et dans le cœur. Quelque chose qui a déjà été entendu, répété, mais qui doit demeurer dans la mémoire parce que c'est toujours la réalité. Plutôt qu'un spectacle à regarder, un événement à retenir; plus encore qu'un événement, un personnage à fixer, à annoncer, à confesser, parce qu'il est lui-même au centre d'un événement, d'une manifestation et d'une annonce.

Le centre de tous ces morceaux, c'est Jésus : Jésus au passif et jamais à l'actif. Non pas subissant mais concentrant sur

lui toutes sortes d'actions, de Dieu, des anges, des hommes.
Jésus révélé au monde dans son destin, dans la profondeur
divine de son existence terrestre et de sa gloire présente.

Par leur style fait pour la répétition et le rassemblement
d'un chœur, par leur densité méditative, par le hiératisme des
images et des attitudes — les verbes sont presque tous des
participes passés —, ces formules ont une allure liturgique
évidente. Tous ne sont pas forcément des cantiques, mais
tous évoquent des modèles de ce genre. Plusieurs évoquent
aussi, de façon précise, le style d'annonce et de proclamation
qui caractérisait les discours missionnaires des *Actes*. Il y a
une correspondance manifeste entre le discours de la Pentecôte : « Ce Jésus... Dieu l'a ressuscité... l'a fait Seigneur et
Christ... Sauvez-vous de cette génération... » et le texte nº IV :
« Si de ta bouche tu confesses que Jésus est Seigneur, et si
dans ton cœur tu crois que Dieu l'a ressuscité des morts, tu
seras sauvé » (Rm 10, 9). D'ailleurs, immédiatement avant,
Paul venait de désigner la parole qu'il s'agit de recevoir de
la sorte; « cette parole, c'est la parole de la foi que nous
proclamons » (*kèrussomen*, le mot même du « kérygme »;
Rm 10, 9 *b*). Correspondance identique, à l'intérieur de notre
série, entre le texte II et le texte III. Dans l'un et l'autre,
Jésus est présenté dans les mêmes termes, comme Fils de
David puis comme ressuscité des morts. Mais en III, la formule est celle de l'Évangile qu'on annonce, en II, celle d'un
souvenir qu'on entretient.

Cette correspondance est suggestive : elle peut nous aider
à situer le milieu où sont nées les formules des discours des
Actes, et à expliquer leur allure archaïque. Celle-ci se comprend mal en supposant que Luc a voulu reproduire des
modèles anciens de prédication et de catéchèse, car la catéchèse et l'enseignement supposent une mise à jour permanente
et une adaptation aux auditoires nouveaux. Alors que la
liturgie, que ce soit dans la proclamation de la parole par le
ministre, ou par son assimilation et sa répétition dans la
communauté, est, au contraire, le lieu type de la tradition
et de la fixité. Il y a des chances sérieuses pour que les discours
missionnaires d'un côté, et les formules de confessions de

l'autre, aient des origines communes ou proches, dans le milieu de la tradition liturgique.

On relève d'ailleurs dans le texte I, en même temps qu'un hiératisme étonnant, un vocabulaire où l'annonce et la proclamation tiennent une large place, autant que la révélation et la contemplation du mystère. En sorte que ce morceau apparaît à la fois comme l'écho de l'annonce évangélique et la fleur éclose d'une longue contemplation.

Ce sont les discours missionnaires enfin qui éclairent le texte III, au début de l'épître aux Romains. Ce morceau a la singularité de rassembler dans la même phrase le mot Fils de Dieu et de l'appliquer à Jésus de façon différente et en deux sens qui ne coïncident pas. « Paul... apôtre, mis à part pour annoncer l'Évangile de Dieu... concernant *son Fils*, issu selon la chair de la lignée de David, établi selon l'Esprit Saint *Fils de Dieu* avec puissance par sa résurrection d'entre les morts, Jésus Christ notre Seigneur » (Rm 1, 1-4). Il est clair que le premier *son Fils* et le second *Fils de Dieu* ne sont pas identiques. Jésus est nommé « son Fils » (de Dieu) dès qu'il paraît, et c'est ce Fils qui est issu de la lignée de David selon la chair, ce Fils encore qui est constitué Fils de Dieu à la résurrection par la puissance de l'Esprit[1].

L'explication la plus naturelle de cette discontinuité entre les deux *Fils* est, sans doute, de se rendre compte que les deux titres appartiennent à deux langages différents. Le Fils de Dieu constitué dans cet état par la résurrection et la puissance de l'Esprit, c'est le Messie à qui, selon le Ps 2, 7, Dieu, le jour de son sacre, confère le titre de Fils : « Tu es mon Fils, aujourd'hui je t'ai engendré. » Le Fils dont Paul a pour mission d'annoncer l'Évangile, c'est le Fils envoyé par Dieu dans le monde. « Fils de Dieu », cela sonne comme un titre, qui appelle l'hommage et l'adoration; c'est le vocabulaire de l'investiture, la proclamation du Christ Seigneur devant les hommes. Mais pour désigner Jésus dans son origine et sa mission, la tournure la plus fréquente chez Paul n'est pas

---

1. M.-E. Boismard, « Constitué Fils de Dieu (Rom I, 4) », *Revue biblique*, 60 (1953), pp. 1-17.

le Fils de Dieu mais *Dieu... son Fils*, et elle est fixée dès les premières lettres :

> *Vous vous êtes tournés vers Dieu en vous détournant des idoles, pour servir le Dieu vivant et véritable, et pour attendre des cieux son Fils qu'il a ressuscité des morts.*
>
> 1 Th 1, 9-10.

> *Il est fidèle, le Dieu qui vous a appelés à la communion avec* son Fils. 1 Co 1, 9.

> *Lorsque Celui qui m'a mis à part depuis le sein de ma mère et m'a appelé par sa grâce, a jugé bon de révéler en moi* son Fils.
>
> Ga 1, 15-16.

> *Quand est venu l'accomplissement du temps, Dieu a envoyé* son Fils, *né d'une femme et assujetti à la loi.* Ga 4, 4.

> *Dieu a envoyé dans nos cœurs l'Esprit de* son Fils.
>
> Ga 4, 6.

> *Si nous avons été réconciliés avec Dieu par la mort de* son Fils.
>
> Rm 5, 10.

> *Dieu... en envoyant* son propre Fils *dans la condition de la chair de péché.* Rm 8, 3.

> *Dieu qui n'a pas refusé* son propre Fils, *mais l'a livré pour nous tous.* Rm 8, 32.

> *Ceux que (Dieu) a prédestinés à être conformes à l'image de* son Fils. Rm 8, 29.

En comparaison de cette série, la liste des exemples où Paul nomme directement Jésus le Fils de Dieu paraît courte :

> *Le Fils de Dieu, le Christ Jésus que nous avons proclamé chez vous, moi, Silvain et Timothée, n'a pas été « oui » et « non ».*
>
> 2 Co 1, 19.

> *Ma vie présente dans la chair, je la vis dans la foi au Fils de Dieu qui m'a aimé et s'est livré pour moi.* Ga 2, 20.

> *... jusqu'à ce que nous parvenions tous ensemble à l'unité dans la foi et dans la connaissance du Fils de Dieu.*
>
> Ép 4, 13.

Sans prétendre poser une loi à partir d'exemples dont le nombre demeure limité, on peut noter néanmoins que, dans les trois mentions *Fils de Dieu*, il est question de la proclamation qui en est faite et de la foi qui lui est donnée, alors que tous les exemples de *son Fils* visent l'action et l'initiative de Dieu, et mettent en valeur la plénitude du don fait par Dieu aux hommes.

Peut-être alors comprend-on mieux la différence, en Rm 1, 3, entre *son Fils* et *le Fils de Dieu* établi dans la puissance de l'Esprit par la résurrection. Il se peut que le premier relève du langage de Paul, tandis que le second appartient au langage traditionnel et, sans doute, plus archaïque de la confession de foi liturgique. Mais on ne doit pas oublier que, dans les discours des *Actes*, un trait essentiel, et qui pouvait apparaître dès le début du formulaire, consistait à souligner le rapport de possession entre Dieu et son Christ (3, 18), son Saint (2, 27; 13, 35), son Serviteur (3, 13.26; 4, 27.30). Là aussi, on pouvait observer la même discordance qu'à propos du Fils. Jésus est à la fois celui qui est « fait Christ » à la résurrection (2, 36) et celui que Dieu envoie comme « son Christ » (3, 18). Il y a deux façons de regarder Jésus et son destin : l'une à partir de l'événement et de la figure nouvelle qu'il a révélée, du rôle qu'il tient maintenant dans le monde — l'autre à partir de Dieu et de son dessein. Ces deux regards convergent évidemment et c'est la mort et la résurrection de Jésus qui les font se rejoindre : si Dieu l'a établi son Fils devant le monde, c'est qu'il l'avait envoyé pour cela, c'est que déjà il était à lui, il était son Fils.

Il subsiste néanmoins une véritable distance entre les formules *Dieu... son Christ*, ou *Dieu... son Serviteur*, et l'expression *Dieu... son Fils*. Dans les premières, le rapport de Dieu à Jésus demeure en quelque sorte extérieur. Le Christ ou le Serviteur jouent le rôle que Dieu leur assigne. Ils viennent de Dieu en ce sens qu'ils sont le fruit de son dessein, l'instrument de sa volonté. De son Serviteur et de son Christ, Dieu est absolument sûr : il exécutera son œuvre en perfection, sans l'ombre d'une défaillance, il comblera son désir. C'est pourquoi Dieu peut d'avance l'annoncer et le présenter au monde avec cet accent de fierté : « Voici mon Serviteur » (Is 2, 1 ; 52, 13). Et Dieu lui-même s'engage devant tous envers son Serviteur. Mais sur le lien intérieur qui unit ce personnage à Dieu, les discours sont pratiquement muets. Ils sont encore, d'une certaine façon, au niveau des Écritures d'Israël, dont ils reprennent les formules. Ils les dépassent assurément, en proclamant que l'événement prédit est arrivé et que Dieu a tenu sa parole. Mais si cet événement a été pour Jésus et pour les hommes quelque chose de décisif, s'il a été produit et proclamé par Dieu comme le sommet de son œuvre, on ne saurait dire pourtant s'il a atteint Dieu lui-même, s'il a été pour lui un événement.

Les formules *Dieu... son Fils*, au contraire, imposent la certitude que Dieu le premier vit de l'intérieur l'événement qu'il produit. Quand il envoie son Serviteur, il lui confie sa mission ; quand il envoie son Fils, il nous le donne, et il s'expose lui-même à tous les périls où il l'abandonne. On observera que, dans la série *Dieu... son Fils*, les textes les plus caractéristiques orientent dans deux directions. Les uns mettent l'accent sur le sacrifice — pour parler en langage humain — que Dieu a dû faire pour envoyer son propre Fils, pour le livrer à cette aventure (Ga 4, 4 ; Rm 8, 3.32), sur le prix que ce geste lui a coûté. Les autres (1 Co 1, 9 ; Ga 4, 6 ; Rm 5, 10) mettent en lumière le but qui justifiait ce geste, et le résultat qu'il a produit : la rencontre et la communion entre Dieu, Jésus et les hommes. Du même coup et dans le même mouvement, Dieu révèle le lien qui l'attache à son Fils, et introduit les hommes dans cette intimité. Avec *son Fils*, Dieu réellement nous introduit chez lui. C'est le sens le plus clair de cette formule.

Une question capitale se pose alors : comment est-on passé de la confession de Jésus Fils de Dieu à la communion avec Dieu et son Fils ? Comment oser faire dire à Dieu ce qu'il vit en lui-même ? Comment a-t-on pu faire le saut, franchir le seuil inaccessible ?

La réponse se trouve dans une autre série de textes, les uns de Paul lui-même, les autres antérieurs à lui, où s'exprime la certitude de pouvoir dire non seulement ce qu'a fait Jésus, mais ce qu'il a vécu en le faisant, l'intérieur de son geste.

JÉSUS, SUJET ACTIF

Jésus Serviteur de Dieu, c'est une lecture des faits à la lumière de l'Écriture ; Jésus Fils de Dieu, c'est une découverte, une interprétation de l'événement par le cœur : l'événement est une affaire de cœur, entre Dieu et son Fils, entre Dieu et les hommes. Comme toutes les véritables découvertes, comme toutes les naissances, l'instant même de cette création nous échappe. On peut suivre une continuité réelle d'une formule à l'autre, on peut observer que le saut s'est produit, on ne peut expliquer le saut lui-même[1].

On peut cependant constater, dans les formules où Jésus Christ est sujet actif de l'événement, un mouvement analogue, un passage de la constatation objective et quasi impersonnelle à la reconnaissance et à l'émotion. Et cette analogie, sans constituer une explication proprement dite, manifeste néanmoins une cohérence significative. L'événement, qui était d'abord envisagé dans ses résultats et son efficacité pour les hommes, se transforme en un geste intérieur et révèle son secret : l'amour et le cœur. Mais là aussi le passage s'opère par sauts, et l'on peut noter successivement deux points de rupture.

La série qui nous intéresse est composée presque uniquement de textes pauliniens. Toutefois, la présence de deux formules du même type dans la première lettre de Pierre fait pressentir que Paul n'est pas le créateur de ce langage.

I. *Pour nos péchés*

> *Christ lui-même est mort pour les péchés, une fois pour toutes, lui juste pour les injustes, afin de vous présenter à Dieu, lui mis à mort en sa chair, mais rendu à la vie par l'Esprit.*
>
> 1 P 3, 18.

---

1. Même si ce saut était déjà préparé dans la tradition juive antérieure à Jésus. En traduisant l'hébreu *èbèd* par le grec *païs* (enfant) au lieu de l'habituel *doulos* (esclave), la Septante veut évidemment éliminer le caractère infamant qui marque l'esclave, mais elle ne donne qu'une approximation lointaine du Fils, cf. J. JEREMIAS, art. « Païs Theou », *Theologisches Wörterbuch zum NT*, V, 1954, p. 673.

Christ est mort pour nos péchés, selon les Écritures.
1 Co 15, 3.

Jésus Christ qui s'est livré pour nos péchés afin de nous arracher à ce monde du mal.
Ga 1, 4.

II. *Pour nous*

Christ aussi a souffert pour vous, vous laissant un exemple.
1 P 2, 21.

Dieu nous a destinés... à posséder le salut par notre Seigneur Jésus Christ, mort pour nous afin que, veillant ou dormant, nous vivions alors unis à lui.
1 Th 5, 10.

Grâce à ta connaissance, le faible périt, ce frère pour lequel Christ est mort.
1 Co 8, 11.

Ceci est mon corps qui est pour vous.
1 Co 11, 24.

L'amour du Christ nous étreint, à cette pensée qu'un seul est mort pour tous et donc que tous sont morts. Et il est mort pour tous afin que les vivants ne vivent plus pour eux-mêmes, mais pour celui qui est mort et ressuscité pour eux.
2 Co 5, 14-15.

Christ, au temps fixé, est mort pour des impies... En ceci Dieu prouve son amour envers nous : Christ est mort pour nous alors que nous étions encore pécheurs.
Rm 5, 6.8.

C'est pour être Seigneur des morts et des vivants que Christ est mort et qu'il a repris vie.
Rm 14, 9.

Garde-toi, pour une question de nourriture, de faire périr celui pour lequel Christ est mort.
Rm 14, 15.

Il n'y a qu'un seul Dieu, qu'un seul médiateur aussi entre Dieu et les hommes, un homme, Christ Jésus, qui s'est livré en rançon pour tous.
1 Tm 2, 5.

III. *Il a aimé*

Ma vie présente dans la chair, je la vis dans la foi au Fils de Dieu qui m'a aimé et s'est livré pour moi.
Ga 2, 20.

> *Vivez dans l'amour... Imitez Dieu... comme le Christ nous a aimés et s'est livré lui-même à Dieu pour vous.* Ép 5, 1.
>
> *Maris, aimez vos femmes... comme le Christ a aimé l'Église et s'est livré pour elle.* Ép 5, 25.

L'unité de toute cette série, c'est évidemment celle du sujet, presque toujours nommé *Christ* (*le* Christ seulement dans les deux textes de Ép) au point que la formule *Christ est mort*, présente également en 1 P, paraît être une expression spontanée du langage chrétien de ce temps. Mais cette mort n'est pas simplement un fait : elle a un sens, un but. Il y a partout un *pour*, et il y a un lien entre celui qui meurt et le sens de sa mort. Dans les séries précédentes, le lien entre Jésus et sa mort venait de Dieu, et c'est Dieu qui donnait un sens à cette mort. Ici Jésus lui-même opère le lien : il meurt dans un but.

1. *Pour nos péchés*

A vrai dire, dans le groupe I, tout au moins dans les deux premiers textes (1 P 3, 18 et 1 Co 15, 3), ce lien, si fort qu'il soit affirmé, ne vient pas forcément de Jésus lui-même. Qu'il soit mort « pour nos péchés », ce peut être un fait sans qu'il ait été voulu par le Christ. *Pour* (grec *peri* en 1 P 3, 18, *huper* en 1 Co 15, 3 et Ga 1, 4) peut signifier la cause aussi bien que l'effet visé. Et de fait il est possible que dans cette formule, qui semble la plus ancienne, l'attention se porte d'abord sur l'effet de cette mort, tel que Dieu l'a voulu. Et l'on peut noter que la formule de Pierre *pour les péchés* est sensiblement moins personnelle que le *pour nos péchés* de Paul, où la mise en cause de *nous* donne nécessairement une valeur plus personnelle au geste du sujet *Christ*. On retrouve d'ailleurs dans la citation de Pierre l'antithèse mort-vie, chair-Esprit qui caractérisait, en Rm 1, 3-4, un langage archaïque et traditionnel. Le *nos* de *pour nos péchés* serait-il déjà une marque paulinienne ?

C'est possible, mais ce n'est pas certain. Car le troisième texte de ce groupe : « Jésus Christ qui s'est livré pour nos

péchés afin de nous arracher à ce monde du mal » (Ga 1, 4)
semble bien être, lui aussi, antérieur à Paul. Comme au début
de l'épître aux Romains, Paul, en adressant sa lettre aux
Galates, les salue en utilisant un formulaire connu. Or ici,
alors que le mouvement de la phrase reproduit celui de
l'annonce en posant le salut à la suite de l'événement Jésus,
le sens est profondément transformé du fait que Jésus lui-
même met en route le mouvement. Alors que, dans les formules d'annonce, le mot *livré* disait la passivité de Jésus entre
les mains de ses ennemis (Ac 2, 23; 3, 13), il devient au
contraire, en passant au réfléchi, *s'est livré*, l'expression de son
initiative personnelle, d'une initiative venue du cœur et destinée à atteindre les hommes au plus profond d'eux-mêmes,
au cœur de leur mal et de leur délivrance.

Il faut mesurer la portée de ces formules, certainement
anciennes, mais il faut aussi apprécier leur discrétion. Dans les
discours des *Actes*, la volonté de Dieu était perçue essentiellement à travers l'Écriture, c'est-à-dire sous la forme relati-
vement impersonnelle d'un programme à réaliser. Ici, Dieu
reste aussi présent et actif que dans les annonces des *Actes*.
Il est au point de départ et au terme de l'événement, dans
chacun de ces trois textes : « Afin de vous présenter à Dieu »
(1 P 3, 18), « selon les Écritures » (1 Co 15, 3), « conformément
à la volonté de Dieu » (Ga 1, 4 *b*). Mais cette volonté s'accomplit à travers l'initiative et la volonté du Christ : c'est lui qui
meurt et qui donne sa vie, cela vient de lui, de la décision
qu'il a prise et qu'il a exécutée jusqu'au bout. La confession
de foi atteint l'intérieur de l'événement, mais elle ne cherche
pas à pénétrer dans cet intérieur, à profaner d'un œil curieux
le secret de ce cœur.

2. *Pour nous*

Cette discrétion n'est pas moins rigoureuse dans le deuxième
groupe, où cependant l'accent personnel est plus sensible
encore. Substituer « pour nous » à « pour nos péchés », c'est
évacuer tout intermédiaire entre celui qui meurt et ceux pour

qui il meurt. Le Christ ne meurt pas pour mettre fin à une situation intolérable, pour restaurer la paix, mais simplement pour nous. Tout se passe entre les personnes, entre les cœurs. Croire, c'est se savoir atteint par cette mort et ce regard. C'est devenu la formule type de la foi chrétienne : « Pour nous les hommes et pour notre salut... » La formule se trouve à la fois dans la première lettre qui nous soit restée de Paul (1 Th 5, 10) et dans la première lettre de Pierre (1 P 2, 21). Ce n'est donc pas une création paulinienne, c'est la foi commune de l'Église, à Antioche, à Corinthe ou à Rome.

Il y a dans cette affirmation une logique nécessaire. Poser que nous sommes sauvés par la mort de Jésus, c'est forcément poser entre cette mort et nous une relation intérieure. Si Jésus n'a pas voulu donner sa vie pour nous, comment sa mort pourrait-elle nous atteindre ? Elle n'est qu'une occasion, un accident significatif perçu par la foi. Mais alors, c'est la foi qui crée la relation, c'est une démarche humaine qui produit le salut, et nous sortons du christianisme. Croire que Jésus nous sauve, c'est nécessairement croire qu'il l'a su et qu'il l'a voulu.

Mais ce n'est pas prétendre savoir comment il l'a su et voulu. Les formules en *pour nous* sont à la fois catégoriques sur le caractère personnel et intérieur de l'acte de Jésus mourant, et résolument muettes sur ce que nous appellerions aujourd'hui sa conscience. Cette réserve ne rend que plus sensible la note personnelle de tous ces textes, où l'affirmation fondamentale prend chaque fois un accent propre.

Dans le mot de Pierre « Christ aussi a souffert pour vous, vous laissant un exemple » (1 P 2, 21), le *a souffert*, qui prend la place de la constatation objective *il est mort*, donne à l'événement sa densité concrète et personnelle, et se prolonge tout naturellement par un appel à donner à cette souffrance une suite personnelle.

Dès la première épître aux Thessaloniciens (1 Th 5, 10), le *mort pour nous* est le point de départ d'une communion infrangible, invulnérable à la mort : « Afin que, veillant ou dormant, nous vivions alors unis à lui. »

« Ce frère pour lequel Christ est mort » (1 Co 8, 11;

Rm 14, 15), c'est aussi celui pour lequel Paul est capable de « renoncer à tout jamais à manger de la viande » (1 Co 8, 13). Et cette réaction au cas de conscience apparemment secondaire posé à la communauté chrétienne par la différence entre les évolués et les attardés, révèle admirablement le sens que Paul donne à ce *mort pour nous*. En mourant pour les hommes, et d'abord pour les plus faibles et les moins intéressants, le Christ crée entre eux une relation nouvelle : il donne à chacun d'exister pour le Seigneur et pour ses frères (Rm 14, 8-9). Mourir pour les hommes, c'est donner à tous de vivre.

Deux textes de ce groupe prononcent le mot d'amour (2 Co 5, 14; Rm 5, 8) et livrent ainsi le secret de ce *mort pour nous* : c'est l'amour qui a produit cette mort. Impossible d'aller plus profond. Toutefois, dans l'un et l'autre texte, l'amour ne figure pas exactement à la place où on l'attendrait. En 2 Co 5, 14, « l'amour du Christ » est bien l'amour par lequel celui-ci « est mort pour tous », mais cet amour se déverse, si l'on peut dire, dans les cœurs et les rend capables, à leur tour, de « vivre pour celui qui est mort et ressuscité pour eux ». Comme dans les textes précédents, l'événement vécu par Jésus devient la source d'une existence nouvelle dans l'humanité, d'une communion avec le Seigneur. En Rm 5, 8, l'amour n'est plus celui du Christ, il est celui de Dieu même. Mais il y a coïncidence entre la mort soufferte par le Christ pour les pécheurs et l'amour de Dieu pour eux. Étonnante logique : c'est le Christ qui donne sa vie, et c'est Dieu qui nous aime. Le raccourci est certainement une création paulinienne, mais demeure dans la ligne authentique des premières annonces, en unissant dans un même acte la mort de Jésus et la révélation du pardon de Dieu. Toute la différence est qu'ici le geste de Dieu et celui du Christ ont, l'un et l'autre, acquis leur densité intérieure : l'amour venu de Dieu et vécu par le Christ jusqu'à donner sa vie pour nous.

Avec la profession de foi de 1 Tm 2, 5, son rythme fortement marqué, ses références visibles aux paroles essentielles de la foi d'Israël, la confession du Dieu unique (Dt 6, 4), la révélation du Serviteur souffrant (Is 53, 10), on s'éloigne du style habituel de Paul, de ses éclairs et de ses élans, mais on reste dans l'axe de l'annonce initiale et de la foi constante du Nouveau Testament : on ne peut confesser Dieu sans évoquer le Christ, on ne peut comprendre le Christ sans le service de Dieu et le salut des hommes.

Nous avons laissé de côté le texte eucharistique de 1 Co 11, 24 : « Ceci est mon corps qui est pour vous. » Il n'appartient pas directement à cette série; il ne fait pas parler les croyants mais le Seigneur Jésus. Il a pourtant avec tous les autres un lien essentiel, et c'est lui qui les explique tous. A vrai dire, il ne semble pas qu'il y ait de relation directe entre la série *mort pour nous* et la parole eucharistique *mon corps pour vous*. Sans doute, la parole sur le corps n'aurait pas de sens, le don n'aurait pas de réalité si ce corps n'était livré à la mort, mais le don est fait actuellement, au moment même où circule le pain, et il est impossible de détacher la parole du geste sacramentel, le corps du repas. *Mort pour nous*, au contraire, fixe le regard sur le Calvaire et le Crucifié. La parole eucharistique et la confession de foi ont chacune leur lieu et leur style propres, et ne se confondent pas. Mais elles s'appellent et se répondent, et c'est la parole eucharistique, parole du Seigneur, parole antérieure à l'événement, qui explique la confession de foi, parole de l'Église qui, ayant reçu l'événement, le recueille et l'annonce au monde. C'est d'avoir entendu Jésus donner le sens de sa mort en leur donnant son corps qui permet à ses disciples de répéter : il est mort pour nous. Ces choses ne s'inventent pas, elles se vivent.

3. *Il a aimé*

Le troisième groupe est le plus unifié, il est aussi le plus explicite. Ici le geste du Christ est mis en pleine lumière, à la fois dans sa substance « il s'est livré » et dans sa source profonde « il a aimé ». Cette unité provient certainement de la présence d'un modèle susceptible d'être répété tel quel ou reproduit avec des variantes (moi/nous/vous). Ce modèle ne semble pas être une création paulinienne et Paul, quand il veut exprimer son secret le plus profond, ce qui le fait vivre, peut, dans le même mouvement, forger un de ces mots qu'il est seul capable d'inventer : « Je vis, mais ce n'est plus moi, c'est Christ qui vit en moi » — et reprendre, pour son propre compte, une formule courante autour de lui : « Il m'a aimé et s'est livré pour moi. » Où est née la formule et dans quel milieu ? Il faut sans doute se résigner à l'ignorer. Il est clair, en tout cas, qu'elle est proche d'autres formules où l'aspect de la confession de foi est manifeste : « Jésus Christ qui s'est livré pour nos péchés » (Ga 1, 4), « Christ est mort pour nous » (1 Th 5, 10). Par lui-même, le mot d'*amour* n'en dit pas plus, mais une fois qu'il a été inventé, il devient impossible de s'en passer.

PRÉEXISTENCE

Avec l'hymne reproduit par Paul dans sa lettre aux Philippiens, l'horizon s'élargit soudain aux dimensions de l'univers et du temps. Les formules que nous avons étudiées jusqu'ici portaient presque toutes, et souvent de façon exclusive, sur la mort et la résurrection de Jésus. Même les descriptions plus développées dans les discours des *Actes* ne mentionnaient l'action de Jésus avant sa Passion que pour mieux situer la mort du Christ et son mystère. Ici, d'un bond, le regard se porte, par-delà les années où vécut Jésus, jusqu'à cet instant hors du temps où celui-ci, prenant forme d'esclave, se fit semblable aux hommes.

Qui donc eut l'audace de faire ce saut ? Non seulement de se poser la question, de penser que la question se posait — mais d'y répondre, de dire ce qu'avait été en Jésus la démarche initiale, le mouvement qui avait tout mis en route ? Nous l'ignorons, nous l'ignorerons toujours. Nous sommes sûrs que ce n'est pas Paul, car le morceau présente plusieurs expressions typiques étrangères au vocabulaire de Paul et parfois proches de Jean : l'égalité avec Dieu (cf. Jn 5, 18), l'exaltation *(hupsoun)* pour désigner la glorification du Christ (cf. Jn 3, 14 ; 8, 28 ; 12, 32.34), la proie à saisir *(harpagmos)*, le sens exclusivement humiliant du mot esclave *(doulos)*, les réalités souterraines *(katachtonios)*. Et il serait étonnant que Paul, dans un tel contexte, n'ait pas mentionné au moins les thèmes qui lui étaient familiers, la mort pour nous, la mention de la résurrection. Tout donne à penser que Paul a reproduit un hymne au Christ connu et utilisé dans certaines communautés. La régularité du rythme, l'ampleur et l'équilibre de la composition, le geste d'adoration qui, au sommet du mouvement, prosterne l'univers aux pieds du Seigneur, tous ces signes dénotent une origine et une tradition liturgiques, une de ces pièces où l'auteur s'efface pour laisser prier et chanter la communauté[1].

Parmi tant de découpages et de traductions proposées, nous citons celle de P. Lamarche, fondée sur une analyse solide :

> *Lui qui était en forme de Dieu,*
> *il ne voulut pas ravir de force*
> *l'égalité avec Dieu.*
>
> *Mais il s'anéantit lui-même,*
> *ayant pris une forme d'esclave,*
> *étant devenu semblable aux hommes ;*
>
> *Reconnu pour homme par son aspect,*
> *il s'abaissa, s'étant fait obéissant,*
> *jusqu'à la mort, la mort de la croix.*
>
> *C'est pourquoi Dieu l'a exalté au plus haut*
> *et lui a donné le Nom*
> *qui est au-dessus de tout nom,*
>
> *Pour qu'au nom de Jésus*
> *tout genou fléchisse*
> *aux cieux, sur terre et dans les enfers,*
>
> *Et que toute langue proclame*
> *de Jésus Christ, qu'il est Seigneur*
> *à la gloire de Dieu le Père.*   Ph 2, 6-11.

1. Parmi la masse des travaux publiés sur ce texte, on peut signaler : P. LAMARCHE, *Christ vivant* (Lectio divina, 43), Cerf, 1966, pp. 25-43; A. FEUILLET, *Christologie paulinienne et tradition biblique*, Desclée de Brouwer, 1973, pp. 83-161; E. KÄSEMANN, *Essais exégétiques*, Delachaux & Niestlé, 1972, pp. 63-110.

Si original qu'il soit, dans sa facture littéraire et dans son développement, ce morceau n'est pas absolument isolé. Il présente en particulier avec les discours missionnaires des *Actes*, plusieurs correspondances notables. Même retournement à la mort de Jésus, marquant l'instant où Dieu exalte (*hupsoun*, cf. Ac 2, 33; 5, 31) celui que les hommes avaient crucifié. Même point culminant, le don du Nom (Ac 3, 16; 4, 12.30; 10, 43) et la proclamation de Jésus Seigneur (2, 36; 10, 36). Le parallélisme entre la seconde moitié de l'hymne et la seconde partie des discours est visible, quelle que soit la distance qui sépare l'appel à la conversion et à la foi dans les discours, de la proclamation liturgique et cosmique de l'hymne.

Dans la première partie au contraire, la différence est énorme. Alors que dans les discours les personnages agissants étaient Dieu, en retrait, et les adversaires de Jésus, sur le devant de la scène, et que Jésus paraissait passif, dans l'hymne au contraire, il est suprêmement actif, « s'anéantissant lui-même » et « se faisant obéissant ». On retrouve ici la transposition qui faisait passer du Jésus « livré » (Ac 2, 23; 3, 13) au Jésus « qui s'est livré » de Ga 1, 4; de l'événement vu du dehors à l'événement vécu de l'intérieur. Mais la nouveauté radicale, et qui n'a dans les discours aucun point de correspondance, c'est que la démarche intérieure de Jésus se trouve d'un seul coup projetée bien avant toute son action visible, avant même ses premiers pas et ses premiers mots, à l'origine même de son existence humaine, dans le choix qu'il pose de cette existence. Comment a-t-on pu franchir ce saut ?

On ne peut l'expliquer par le souvenir de paroles de Jésus. Le seul mot du Christ qui nous transporte avant son existence humaine se trouve dans un dialogue johannique : « Avant qu'Abraham parût, Je Suis » (Jn 8, 58) et suppose une méditation prolongée des paroles du Seigneur, et la découverte progressive de leurs profondeurs. Le mot de Jean est d'ailleurs moins audacieux que celui de l'hymne et demeure très réservé : il pose la préexistence du Christ, mais sans décrire quoi que ce soit de ce moment inaccessible, alors que l'hymne suppose un choix, une décision concrète : il était en forme de Dieu... il ne voulut pas ravir de force cette égalité.

Les thèmes des discours nous offrent sans doute une explication plus satisfaisante. Ils sont tous construits sur une perspective centrale : en Jésus, Dieu a donné à Israël son Messie, son Serviteur, son Saint. Ce langage provient de l'Ancien Testament et manifeste la fidélité de Dieu à sa promesse. Mais il suppose aussi l'assurance que Dieu fonde sur le personnage qu'il peut ainsi promettre à son peuple. La force des prophéties rappelées par les discours des *Actes* n'est pas du tout dans la correspondance exacte entre le déroulement de certains faits et une description antérieure, humainement inexplicable. Elle est dans l'apparition, avec le personnage de Jésus, de celui qui explique, enfin, comment Dieu a pu engager son peuple dans cette aventure et lui promettre de la mener à son terme. C'est que d'avance il était sûr de celui qu'il enverrait, sûr à la fois de son obéissance et de sa liberté, car il ne peut être question d'une opération téléguidée : le Serviteur ne pouvait être qu'un homme libre.

Cette logique, qui fonde les discours, se retrouve peut-être dans l'hymne, mais il faut avouer que, peu explicite dans les discours, elle ne l'est plus du tout dans l'hymne, qui nulle part ne fait intervenir de figures bibliques, au point qu'on se demande parfois si l'anéantissement de Ph 2, 7 évoque réellement l'anéantissement du Serviteur en Is 53, 12, qui se trouve dans l'hébreu mais est absent de la traduction grecque, et qui est étroitement lié au thème de l'expiation, étranger à l'hymne. Aussi paraît-il plus indiqué de rester à l'intérieur de l'hymne, et de suivre sa logique propre.

Car la fin de l'hymne explique le début, l'exaltation fait comprendre l'anéantissement, la proclamation du Seigneur renvoie à la forme initiale de Dieu. Le mouvement de l'hymne, avec sa symétrie rigoureuse entre les deux moments, est dans la ligne la plus immédiate et la plus ancienne de l'expérience chrétienne. La manifestation de Jésus ressuscité est venue éclairer tout le passé et la personne de Jésus. Or le ressuscité a été exalté et constitué par Dieu Seigneur et Christ (Ac 2, 36; Rm 1, 4). Seigneur, on l'a vu (*supra*, p. 79), est à la fois un titre de souveraineté et un titre personnel. Seigneur n'est pas un nouveau nom donné à Jésus et qui remplacerait son nom d'homme. C'est le nom même de Jésus qui devient le nom du Seigneur. Jadis, quand on disait « Jésus », c'était pour l'appeler, lui demander un service, lui poser une question. Maintenant, on dit toujours « Jésus », mais quand on le dit, on le dit comme on parle à son Seigneur, dans l'action de grâces et l'adoration.

Or cette action de grâces et cette adoration que l'on rend au Seigneur Jésus sont identiquement celles que l'on rend à Dieu. Seigneur n'est pas forcément un titre divin, ce pourrait n'être qu'un titre royal. Mais dans l'hymne ce titre est forcément divin, car le Seigneur de l'hymne, le Seigneur au nom duquel tout genou fléchit (vv. 9-10), c'est le Seigneur de Is 45, 22-24, le Dieu unique et sans rival, celui qui seul concentre le regard et l'adoration de tous les peuples. Cette référence est capitale : alors que les discours appliquent d'abord à Jésus ce que les promesses de la Bible disent du Messie ou du Serviteur, et laissent un écart possible entre Dieu et son envoyé, l'hymne applique à Jésus une parole et une promesse dont Yahvé se réserve le droit exclusif. L'adoration sur laquelle s'achève l'hymne est l'adoration strictement réservée à Dieu. Jésus n'est plus seulement l'instrument unique, le Serviteur, le Roi consacré ; il est libéré de l'ambiguïté qui enveloppait encore le titre de Fils de Dieu, du fait de ses résonances royales et terrestres. L'honneur qui lui est rendu est l'honneur dû à Dieu. Jésus n'est pas identifié à Dieu, puisqu'il reçoit cette seigneurie de Dieu et qu'il l'exerce à la gloire de Dieu le Père (vv. 9.11). Mais la gloire que Dieu donne à Jésus est la sienne propre, celle qu'il ne donne à personne (Is 42, 8). Lorsque la communauté se rassemble au nom de Jésus, lorsqu'elle chante cet hymne, elle se tient devant lui dans l'adoration, comme elle se tient devant Dieu. C'est pour elle une expérience fondamentale et quotidienne.

L'hymne proclame la logique qui fonde cette expérience : si aujourd'hui Jésus est nommé Seigneur comme on dit le Seigneur Dieu, c'est à cause de ce qu'il a fait. L'articulation essentielle est le *C'est pourquoi* (grec *dio*, v. 9). Il y a entre le premier et le deuxième moment une relation unique et nécessaire. Si aujourd'hui Jésus est adoré partout, et non seulement par les hommes mais par toutes les puissances de l'univers, c'est qu'il s'est dépouillé et humilié. Il y a une symétrie rigoureuse entre l'abaissement et l'exaltation, entre l'anéantissement et le don du Nom, entre la condition d'esclave et celle du Seigneur. Si l'exaltation est de hauteur divine, c'est donc que l'humiliation était, elle aussi, de dimension divine. Il ne suffit pas en effet qu'un homme tombe au plus profond de l'humiliation pour qu'il ait droit de ce fait à être porté au sommet de la divinité : il faut qu'il soit, si l'on ose dire, tombé de plus haut, il faut qu'il y ait en lui de quoi porter cette gloire. Ce que révèlent la résurrection et l'expérience de la communauté, c'est que la gloire divine où se trouve élevé Jésus est à sa taille et qu'elle est faite pour lui.

On retrouve toujours la même expérience fondamentale de la résurrection. Elle révèle la véritable place de Jésus; elle montre à la fois que le ressuscité est toujours l'homme de Nazareth, et que l'homme de Nazareth était fait pour être le ressuscité, qu'il trouve là sa véritable personnalité. C'est de cette expérience que provient l'intérêt de la foi chrétienne pour Jésus et son existence terrestre, c'est de là que sont nés les évangiles. Le mouvement de notre hymne est du même type, mais il est poussé jusqu'au bout, jusqu'à l'origine même de Jésus. Déjà les discours expliquaient l'existence de Jésus par la décision originelle et antécédente de Dieu. Ce qu'ajoute l'hymne, c'est qu'à cette décision de Dieu correspond, venue si l'on ose dire du même lieu et posée dans le même temps, la décision originelle du Christ. C'est de lui qu'est venue l'initiative qui l'a conduit à la croix.

Parler d'un lieu et d'un temps, d'un lieu qui est ailleurs, d'un temps qui est avant, c'est évidemment une façon de parler. L'ailleurs et l'avant sont des effets d'optique, ils dissimulent une réalité qui échappe à nos prises. L'hymne d'ailleurs semble conscient de ces limites. Il est vrai qu'en faisant succéder à un état permanent « qui était (participe présent grec *huparchôn*) en forme de Dieu » la série des gestes actifs au passé : « Ne voulut pas... s'anéantit... s'abaissa », il pose une succession et un changement, et paraît nous livrer aux lois du temps. Il est vrai que la description du geste initial ne peut se passer d'images et que ces images ont un aspect mythique. Mais ce qui est visé à travers les images échappe au mythe parce que cela reste d'ordre intérieur. L'hymne ne cherche nullement à décrire ce que pouvait être l'existence de celui qui se trouvait « en forme de Dieu », mais seulement à poser, au point de départ de son existence humaine, un choix personnel, un choix qui a commandé et accompagné toute son existence. Il est vrai qu'une affirmation pareille suscite inévitablement le besoin d'imaginer en Jésus une conscience d'exception. A cette tentation l'hymne en tout cas ne s'est pas laissé prendre. Il se borne à évoquer le choix qui fut au point de départ, non pas comme un événement antérieur aux événements de l'histoire, mais comme l'intérieur de l'événement dès son début, le choix qui mit tout en branle et qui est tout simplement Jésus lui-même. Plutôt que de préexistence du Christ, avec l'horizon mythique évoqué par ce mot, il vaudrait mieux parler de prédécision, de choix s'accomplissant dans le temps où Jésus paraît dans la forme humaine.

Il y a chez saint Paul un texte parallèle, plus pur encore de toute trace mythologisante, c'est le mot qui rappelle aux Corinthiens quelque chose qu'ils sont supposés bien connaître et qui doit donc appartenir à la tradition commune de la foi : c'est « la générosité de notre Seigneur Jésus Christ qui, pour vous, de riche qu'il était, s'est fait pauvre, pour vous enrichir de sa pauvreté » (2 Co 8, 9). Ce geste lui aussi remonte aussi haut que l'existence de Jésus, il suppose lui aussi une initiative et un choix, le passage d'un état « il était » à la condition historique à travers une démarche personnelle « il s'est fait pauvre ». L'appel à l'imagination est réduit au minimum « il était riche », le minimum indispensable pour marquer que l'événement Jésus ne commence pas à la croix mais à sa naissance, à sa venue dans le monde. L'hymne en dit beaucoup plus sur la richesse dont s'est privé Jésus, qui est la « forme de Dieu » et « l'égalité avec Dieu » à quoi elle lui donnait droit. Mais la « forme de Dieu » n'est pas décrite, elle est seulement définie par opposition avec ce que nous connaissons, « la forme d'esclave ».

« Forme de Dieu » et « forme d'esclave » (vv. 6-7) sont des expressions difficiles et dont le sens précis nous échappe, parce que ces mots appartenaient au langage intellectuel de l'époque et que nous en sommes trop éloignés pour en ressaisir les nuances. Le mot « forme » (grec *morphè*) dit à la fois quelque chose de visible et d'essentiel, une image, mais une image bien différente de toute reproduction, si ressemblante fût-elle, une image qui soit non seulement l'image même de l'original, mais sa pure et parfaite expression. Forme dit aussi « le champ de forces » qui émane d'un être et le détermine, l'état où il se trouve et qui le constitue[1]. L'hymne précise que le Christ existait « dans la forme de Dieu », et l'on peut ainsi traduire « condition de Dieu... condition d'esclave », en précisant bien que condition n'est pas simplement la situation et l'état social où l'on se trouve, mais le type d'existence et d'action où un être exprime ce qu'il est.

Subsistant dans cet état où il était exactement à sa place, le Christ a posé un geste, qualifié par une formule elle aussi difficile à préciser, *harpagmos*. Le sens du mot isolé est assez clair : butin, proie, conquête, mais l'expression *estimer comme une proie* l'est beaucoup moins. Elle est pourtant courante en grec, mais son sens dépend du contexte. Ou bien il s'agit d'un objet non encore possédé, d'une proie à saisir, à « ravir de force » (Lamarche), et l' « égalité avec Dieu » est quelque chose que le Christ ne possède pas encore et dont il refuse de s'emparer alors qu'il y aurait droit, du moment qu'il est « dans la forme de Dieu ». Ou bien l'on se trouve déjà en possession de cet objet, mais on refuse d'en tirer le profit auquel il donnerait droit. C'est la traduction de la Bible de Jérusalem « ne retint pas jalousement le rang qui l'égalait à Dieu ».

Ces deux traductions conduisent à deux interprétations assez différentes. Si le choix posé est le refus de conquérir, il peut être posé par le Christ à tous les moments de son existence, bien que, selon le texte de l'hymne, il se place d'abord au moment initial. Il apparaît comme la réplique inversée

---

1. E. KÄSEMANN, *Essais exégétiques*, p. 81.

du geste d'Adam visant à « être comme des dieux » (Gn 3, 5) et s'exprime visiblement dans le récit évangélique de la tentation de Jésus, la tentation décisive étant le passage à travers la mort et la mort de la croix.

Dans l'autre interprétation, celle où *harpagmos* désigne un avantage déjà possédé, cet avantage est la condition divine, et le choix du Christ porte d'abord sur la condition d'esclave elle-même. Non pas sur l'Incarnation comme telle, car le Seigneur exalté sera toujours le Christ de chair, mais sur la condition humaine telle qu'elle est dans la réalité, soumise à la mort.

Dans les deux interprétations, la mort joue un rôle essentiel. Dans la première, Jésus pouvait y échapper, en choisissant une autre façon d'être homme et d'être Messie. Dans la seconde, il l'a choisie et voulue en se faisant homme. Dans l'une et dans l'autre, il s'est totalement dépouillé de tout avantage personnel, il s'est anéanti. Mais cet anéantissement, bien loin de le mettre à distance de Dieu, l'établit au cœur même de son action. S'anéantir est tellement conforme à l'être de Dieu, tellement expressif de ce qu'il est, que ce geste devient la figure même du Seigneur et le type de la conduite chrétienne : « Comportez-vous donc entre vous comme on le fait en Jésus Christ » (Ph 2, 5).

Pour apprécier exactement la portée de cet hymne, il faut mesurer à la fois son audace et sa discrétion. Audace, de prétendre dire le secret de l'existence de Jésus, d'en dire sur elle infiniment plus que nous n'oserions le faire de l'homme au monde que nous connaissons le mieux. Signe qu'en Jésus Dieu s'est réellement révélé, qu'il s'est livré à nous, totalement exposé. Signe qu'il aime et qu'il attend l'amour. Discrétion, qui ne cherche pas à savoir, à imaginer des confidences, à savourer des émotions. Le nom même d'amour n'est pas prononcé. Tout vient du cœur, mais tout se passe dans les faits, dans les choix qui s'accomplissent, dans la réalité. Dans ce silence, dans ce respect, c'est encore Dieu qui se révèle, et sa pure transparence.

Conclusion

De l'Église à Jésus

Revenons pour conclure au mot de Loisy d'où nous sommes partis : « Jésus attendait que vienne le Royaume et c'est l'Église qui est venue. » Nous n'avons traité qu'une partie du sujet, laissant de côté plusieurs aspects essentiels, le fonctionnement des communautés, la pratique des sacrements. Nous nous sommes bornés à entendre parler l'Église et à étudier son discours.

A plusieurs égards, cette étude a paru donner raison à Loisy, ou plus exactement donner tort à beaucoup de ses adversaires. Loisy avait raison de dire que l'Église n'est pas le prolongement linéaire de Jésus, l'application méthodique de son programme. L'Église est née de la résurrection de Jésus, de son absence visible et de son expérience dans l'Esprit. Cette naissance est une véritable naissance, une nouveauté radicale, une rupture. Bien peu d'esprits, il y a soixante-quinze ans, étaient prêts à accueillir cette évidence, qu'impose pourtant la simple lecture du Nouveau Testament.

Mais la formule de Loisy disait plus, et ce plus n'est pas confirmé par le parcours que nous avons fait, dans le domaine de la parole et de la foi. Loisy semblait penser qu'entre l'attente du Royaume, qui avait marqué l'action de Jésus, et l'horizon de l'Église, préoccupée de sa propre existence, la distance était infranchissable. Les textes que nous venons d'étudier nous semblent attester dans l'Église quelque chose d'assez différent. D'une part, une capacité d'ouverture et d'invention, une façon nouvelle d'exister, d'affronter les hommes et les situations, la conscience d'avoir à être et à faire dans le monde quelque chose de décisif. D'autre part, la certitude que tout cela reposait uniquement sur l'événement et la personne de Jésus Christ, et que la mission de la communauté, née de cet événement, était à la fois d'en attester la fécondité par sa vie et d'en donner l'explication par sa parole.

L'étude de cette parole fait apparaître quelque chose de singulier : à mesure qu'on s'éloigne de l'événement, on a davantage à en dire, à mesure qu'on en parle, on en fait une rencontre plus personnelle, un événement intérieur et du cœur. Ce déplacement se retrouve dans tous les types de formules, que le sujet soit Dieu ou Jésus. Parti des formules anciennes, Dieu a ressuscité celui que vous avez livré, Dieu a glorifié son Serviteur, où l'événement se trouve éclairé par les Écritures, on aboutit à la révélation directe : Dieu a livré son Fils, Dieu nous a aimés. De même, pour décrire ce qu'a fait Jésus : cet innocent a été mis à mort, Christ est mort pour nos péchés, Christ s'est livré pour nos péchés, le Fils de Dieu m'a aimé et s'est livré pour moi. La grande question soulevée par le rapprochement de ces textes est de savoir comment est venue à l'Église cette assurance, d'oser dire ce qu'est l'intérieur de l'événement, d'oser affirmer que c'est un secret d'amour.

Il nous a semblé qu'un texte au moins nous permettait de remonter à l'instant où Jésus se livrait à la mort, les paroles sur le pain et le vin à la dernière Cène. Car ces paroles, qui remontent très haut dans la tradition chrétienne, sont inséparables du geste liturgique qu'elles accompagnent, et du moment où Jésus les a prononcées, la nuit même où il fut livré. Or ces paroles attestent que Jésus a donné un sens à sa mort, qu'il donnait sa vie pour les siens. Ce chaînon est infiniment précieux, irremplaçable.

Il serait téméraire cependant de vouloir suspendre à ce

chaînon seul toute l'argumentation. Outre que la valeur d'un texte, si solidement établie qu'elle soit, risque toujours, s'il est isolé, de prêter au soupçon, il faut reconnaître que le mot d'amour ne figure pas dans ces paroles, et qu'il subsiste une distance réelle entre « mon corps... mon sang... pour beaucoup » et « Il m'a aimé et s'est livré pour moi ». Le mot d'amour est une interprétation; il ne paraît pas sur les lèvres de Jésus dans la tradition synoptique, fût-ce aux moments où il semblerait s'imposer. Sans prétendre que Jésus ne l'a jamais dit ou n'a pu le dire, il est certain du moins que l'annonce du Christ dans l'Église ne se fonde pas sur des paroles de ce type. Sur quoi peut donc reposer cette interprétation ?

La seule réponse qui vaille est qu'il s'agit d'une interprétation globale, fondée à la fois sur l'ensemble de la tradition biblique et sur le parcours entier de Jésus et de son action. Que le Dieu de la Bible soit un Dieu qui aime et qui attend l'amour, c'était, depuis Osée et Jérémie, une donnée fondamentale de la foi d'Israël. Que l'action de Jésus soit dans la ligne exacte de cet amour, cela se voit à l'insistance qu'il met sur « le grand commandement » (Mt 22, 34-40; Mc 12, 28-34). Que le pardon soit une expression significative de l'amour, et qu'il crée un lien d'amour, c'est pour Jésus une évidence (Lc 6, 27-35; 7, 47). C'en est une autre et du même ordre, que sa mission propre est d'être dans le monde le témoin de ce pardon et de cet amour. Les « paraboles de la miséricorde » (Lc 15) disent du même coup ce qu'est la vocation de Jésus et ce qu'est l'amour du Père.

Or l'expérience de Jésus ressuscité est pour ses disciples l'expérience de son pardon. Non seulement il ne vient pas leur reprocher leurs défaillances, mais en leur confiant son Évangile il leur donne sa confiance totale, comme s'ils étaient désormais au-dessus de toutes les faiblesses. Et l'expérience de l'Esprit Saint, offerte à tous ceux qui croient, révèle que le pardon de Dieu est maintenant ouvert à tous.

Puisque c'est le même Jésus, c'est le même pardon, et c'est le même amour. Puisque le pardon de Dieu apporté par Jésus aux publicains et aux prostituées venait du cœur du Père et de son amour, le pardon que l'Esprit Saint apporte à ceux qui

croient, vient du même cœur et du même amour. Puisque
Jésus ressuscite en pardonnant, c'est qu'il est mort en aimant.
Puisque Dieu pardonne en donnant son Esprit, c'est qu'il
nous a donné son propre Fils.

Il y a ici bien plus qu'une logique, si rigoureuse soit-elle.
Beaucoup plus qu'une logique, ce qui fait le fond de ces
formules, c'est une expérience : l'expérience du même pardon
et du même amour, vécue naguère à la suite de Jésus par ceux
qui partageaient sa vie, et vécue maintenant dans l'Esprit
par les mêmes disciples. Le témoignage des disciples de Jésus
est indispensable et irremplaçable. On l'entend le plus souvent
dans le sens vie terrestre — vie du Ressuscité. Mais le sens
inverse n'est pas moins essentiel. Il ne suffit pas de vérifier
que celui qui ressuscite est le même que le Jésus d'avant la
mort. Pour comprendre le Ressuscité, pour donner une consis-
tance à son action d'aujourd'hui, pour répondre aujourd'hui
à l'amour du Christ qui étreignait saint Paul (2 Co 5, 14), il
faut que, par les évangiles et les disciples du Seigneur, nous
gardions l'expérience de ce que furent sa vie et sa mort, de
ce qu'il fut, de ce qu'il est pour toujours. Si nous pouvons
croire qu'il nous aime, c'est en découvrant qu'il nous a aimés.

Orientation bibliographique

Le seul ouvrage en français qui couvre l'ensemble des matières traitées dans ce livre est le volume 10 de la collection « Mysterium Salutis », intitulé *La christologie dans le Nouveau Testament et le Dogme* (Paris, Cerf, 1974). R. SCHNACKENBURG y expose *La christologie du Nouveau Testament* (pp. 9-234).

Le recueil édité par J. DUPONT, *Jésus aux origines de la christologie*, Gembloux, Duculot, 1975, groupe une série d'articles qui relèvent également de notre sujet.

Sur les annonces de la résurrection, voir surtout X. LÉON-DUFOUR, *Résurrection de Jésus et mystère pascal* (Parole de Dieu, 7), Paris, Seuil, 1971, 2ᵉ éd. 1972, et B. RIGAUX, *Dieu l'a ressuscité*, Gembloux, Duculot, 1973.

Sur les formules eucharistiques, voir J. JEREMIAS, *La dernière Cène. Les paroles de Jésus* (Lectio divina, 75), Paris, Cerf, 1972.

Sur les *Actes des Apôtres*, voir dans *L'introduction à la Bible*, Édition nouvelle, t. III, vol. II; *Introduction critique au Nouveau Testament* (Paris, Desclée, 1976), la section II, « Les Actes des Apôtres », par CH. PERROT (pp. 241-295).

Sur les discours missionnaires des *Actes*, l'ouvrage épuisé de J. SCHMITT, *Jésus ressuscité dans la prédication apostolique* (Paris, Gabalda, 1949) a été repris et complété par l'auteur dans son article « Prédication apostolique » du *Supplément au Dictionnaire de la Bible*, VIII, cc. 246-273.

Sur l'hymne de l'*Épître aux Philippiens*, voir P. LAMARCHE, *Christ vivant* (Lectio divina, 43), Paris, Cerf, 1966; A. FEUILLET, *Christologie paulinienne et tradition biblique*, Paris, Desclée de Brouwer, 1973, pp. 83-161; E. KÄSEMANN, *Essais exégétiques*, Neuchâtel-Paris, Delachaux & Niestlé, 1972, pp. 63-110.

Références bibliques

Genèse :

	Pages
1, 9	24
3, 5	117
8, 5	24
17, 1	24
18, 1	24
26, 2	24
35, 1.9	24
48, 3	24

Exode :

	Pages
3, 2	24, 26
3, 3	24
3, 16	24
4, 1	24
6, 3	24
19, 16.18	40
24, 10	24
33, 20-23	24

Deutéronome :

	Pages
6, 4	80, 107
32, 5.20	50

1 Samuel :

	Pages
10, 10	52

2 Samuel :

	Pages
12, 7-11	63

1 Rois :

	Pages
19, 11.12	40
20, 35	52

2 Rois :

	Pages
2, 1	52
2, 3	53

Psaumes :

	Pages
2	75
2, 6	88, 90, 98
4, 4	87
16	59
16, 8-11	57
16, 10	87
30, 5	87
31, 24	87
37, 28	87
52, 11	87

	Pages
79, 2	87
85, 9	87
86, 2.4	87
97, 10	87
110	79
110, 1	81
116, 15.16	87
132, 9	87
145, 10	87
148, 14	87
149, 1.9	87

Isaïe :

	Pages
6, 1	26
8, 16.20	52
40 — 55	87
41, 8	88
42, 1.8	88, 101, 113
44, 1	88
45, 22-24	113
52, 13	88, 101
53, 5.8	29
53, 10	107
53, 11	88
53, 12	112

Jérémie :

	Pages
31, 31	70
36, 4.32	52

Ézéchiel :

	Pages
36, 25-27	70
37, 25-26	70

Amos :

	Pages
3, 7-8	80
7, 1-2	80
7, 14	52

Joël :

	Pages
3, 1-5	55

Matthieu :

	Pages
5, 5	19
7, 19	83
8, 21	83
11, 27	89, 90
14, 36	89
21, 43	63

	Pages
22, 34-40	121
23, 29-35	63
24, 36	89
26, 63-66	61
27, 29.37	61

Marc :

	Pages
1, 1	89
2, 5.7.9	19, 69
6, 34	82
11, 3	83
12, 28-34	121
13, 9-11	69
14, 14	83
14, 22-24	31, 31
14, 61-64	61
15, 18.26	61

Luc :

	Pages
1, 32.35	90
3, 22	90
4, 3.9	90
4, 34	78
5, 20	78
5, 24-26	49
6, 27-35	121
7, 9	78
7, 13	82
7, 47	121
7, 48	19
7, 50	78
8, 2	76
8, 28	78, 90
8, 48	78
9, 35	90
9, 51	46
10, 1	82
10, 22	90
10, 39	82
11, 39	82
15	121
17, 10	88
17, 13	78
18, 38	78
20, 42	80
22, 19	31, 33, 35
22, 20	33

	Pages
22, 42	70
22, 54-71	49
22, 67-71	61
22, 70	90
23, 38	61
23, 42	78
23, 46	65
24, 12	22
24, 31	25, 53
24, 34	29
24, 35	30
24, 44	53
24, 51	46
Jean :	
1, 29	35
3, 14	109
5, 18	109
5, 21	19
6, 51	35
8, 28	109
8, 58	111
10, 17	19
11, 51-52	35
12, 32.34	109
16, 1-15	69
19, 3.19-22	61
20, 17	53
21, 13-15	22
Actes :	
1, 11.22	53
2, 3-4	40
2, 7-8	49.67
2, 11.12	68
2, 14-36	37, 48, 74, 54 à 57
2, 22-32	72
2, 14	49, 55, 58
2, 22	57, 58
2, 23	57, 60, 105, 111
2, 24	57, 86
2, 28	50
2, 31	59
2, 32	53, 66
2, 33	58, 85, 111
2, 34	80
2, 36	49, 58, 60, 82, 100, 111, 112

	Pages
2, 38	62, 67, 68, 69
2, 40	50, 64
2, 41	50
2, 42	30, 39, 50
2, 46	30
3, 6	49, 50
3, 9	49
3, 13	79, 86, 100, 105, 111
3, 13-15	72
3, 13-26	74
3, 14	64
3, 15	53, 66, 85
3, 16	50, 54, 78, 111
3, 18	86, 100
3, 19-26	37, 48
3, 20	47
3, 26	87, 100
4, 6	49
4, 8	68
4, 9	49
4, 9-12	37, 48
4, 10	53, 72
4, 10-12	74
4, 13	49
4, 24-30	54
4, 27	87, 100
4, 27-28	74
4, 30	111
4, 31	68
5, 12	39
5, 29-32	37, 48
5, 30	79, 87, 100
5, 30-32	74
5, 31	72, 85, 111
5, 32	53, 86
5, 41	51, 77
6-8	11
6, 1	11
6, 7	39, 42
7, 1-53	43
7, 51-53	44
7, 60	65
8, 17	68
9, 18	93
10, 34-43	37, 48
10, 36-43	74
10, 36	85-111
10, 39-40	72

	Pages
10, 41	53, 66
10, 42	85
10, 43	54, 78, 111
10, 44	68
10, 46-47	68
11, 15	68
13, 17	79
13, 17-41	37, 48, 74
13, 27-30	72
13, 31	53, 66
13, 33	88, 90
13, 35	84, 100
13, 38	47, 54
13, 49	39, 42
15, 9	47
16, 9-10	38
16, 10-17	38
16, 19-40	39
17, 1 − 20, 4	39
20, 5-15	38
20, 7.11	30
21, 1-18	38
21, 33 − 26, 32	39
26, 1-30	43
27, 1 − 28, 16	38
Romains :	
1, 1-4	98
1, 3	100
1, 3-4	104
1, 4	96, 112
3, 21-31	47
4, 17.24	19
5, 6	103
5, 8	103, 107
5, 10	99, 101
6, 9	20
8, 3	99, 101
8, 11	19
8, 15	82
8, 29	99
8, 32	99, 101
10, 9	19, 82, 96, 97
14, 8-9	107
14, 9	103
14, 15	103, 107
1 Corinthiens :	
1, 2.7.8	94
1, 9	94, 99, 101
1, 10	94

	Pages		Pages		Pages
2, 2	95	15, 15.22.45	19	2, 9	113
2, 8	84	16, 22	84	2, 9-10	113
7, 10.12.25	83			2, 11	82, 113
8, 11	103, 106	2 Corinthiens :			
8, 13	107	1, 19	99	Colossiens :	
9, 5	84	5, 14-15	103	4, 14	38
9, 14	83	5, 14	107, 122		
9, 22	93	8, 9	115	1 Thessaloniciens :	
10, 16	30			1, 9-10	99
11, 18	30	Galates :		5, 10	103, 106,
11, 20	30, 32	1, 1	19		109
11, 23-25	15	1, 4	103, 104,	1 Timothée :	
11, 23	31, 32, 35,		105, 109,	1, 10	19
	84, 93		111	2, 5	103, 107
11, 24	31, 35, 103,	1, 8	95	3, 16	95
	108	1, 15-16	99		
11, 25	31	2, 20	99, 103	2 Timothée :	
11, 26.27.29	32	3, 1	28, 95	2, 8	96
12, 3	82, 94	4, 4.6	99, 101		
14, 2.27-28	63			Philémon :	
15, 1	23, 31	Ephésiens :		24	96
15, 3-5	15-16	4, 13	99		
15, 3	93, 103,	5, 11.25	104	1 Pierre :	
	104, 105			2, 21	103, 106
15, 6-8	27	Philippiens :		3, 18	19, 102,
15, 9	28	2, 5	107		104, 105
15, 11	21, 31, 32	2, 6-7	107	Apocalypse :	
15, 12	20	2, 6-11	110-117	1, 10	32
		2, 7	112	22, 20	84

Auteurs cités

	Pages		Pages
M.-E. Boismard	98	P. Lamarche	110, 123
L. Cerfaux	79	X. Léon-Dufour	16, 26, 123
E. Charpentier	51	A. Loisy	5, 119
C. H. Dodd	45	P.-H. Menoud	40
M. Dumais	49, 56	J. Pelletier	24
J. Dupont	31, 39, 46, 123	Ch. Perrot	123
A. Feuillet	110, 123	R. Pesch	26
A. George	90	B. Rigaux	16, 19, 123
F. Hahn	83	J. Schmitt	45, 123
J. Jeremias	16, 19, 29, 31, 89,	R. Schnackenburg	83, 123
	102, 123	E. Trocmé	38
E. Käsemann	110, 116, 123	A. Vögtle	26

Table des matières

Introduction : DE JÉSUS A L'ÉGLISE 5

    Les difficultés 6
    La difficulté 8
    Méthodes 10
    Classement des textes 12

I. LE RÉCIT DE L'ÉVÉNEMENT JÉSUS 15

    Structure de 1 Co 15, 3-5 18
    Le ressuscité 20
    Il apparut 23
    Origine et date de la formule 28
    Les paroles de la Cène 30
    Le geste et son sens 33

II. LE DISCOURS : L'ANNONCE DE L'ÉVÉNE-
MENT 37

    Les *Actes des apôtres :* les premiers récits 38
    Les discours des *Actes* 42
    Les discours missionnaires : origines.............. 45
    Les discours missionnaires : situations et personnages 48
    Les discours missionnaires : un discours sur Jésus .. 50
    Les discours missionnaires : structure.............. 54
    La révélation de Jésus Messie 58
    La révélation du pardon........................ 62
    La révélation de l'Esprit 66

III. LA THÉOLOGIE : LA PERSONNE DE JÉSUS .   71

    Dieu et Jésus   75
    Jésus et les hommes   77
    Dieu et son Serviteur   86

IV. LA CONFESSION DE LA FOI EN JÉSUS   93

    Jésus, sujet passif   95
    Jésus, sujet actif   102
    Préexistence   109

Conclusion : DE L'ÉGLISE A JÉSUS   119

Orientation bibliographique   123

Références bibliques   124

Auteurs cités   126

Imprimé en France, à Vendôme
Imprimerie des Presses Universitaires de France
Dépôt légal : 1er trimestre 1977
Nº d'Imprimeur : 25 495